ENQUÊTES et EN QUÊTE

LES ÉDITIONS PLUME DE PLUIE

LES ÉDITIONS PLUME DE PLUIE

Site web : www.plumedepluie.com
Courriel : editions @plumedepluie.com

Dépôt légal
Bibliothèque et Archives nationales du Québec, avril 2014
Bibliothèque et Archives du Canada, avril 2014

ISBM : 978-2-024422-00-7

Auteures :
Annie Gagnon et Louise-Marie Lacombe

Infographie : Quand le chat est parti
Relecture : Raymonde Lalonde
Corrections linguistiques : Vincent Collard

Crédit photo : Jacques Frenette

DISTRIBUTION
Prologue inc.
1650, boulevard Lionel-Bertrand
Boisbriand (Québec) Canada J7H 1N7
Téléphone : 1 800 363-2864
Télécopieur : 1 800 361-8088
prologue@prologue.ca
www.prologue.ca

À toi, Annie,

Pour que toi et moi nous nous souvenions que ce nous considérâmes autrefois comme une trop brève rencontre n'était que le début d'une merveilleuse aventure. Preuve que la vie se dessine aux traits que l'on veut bien tracer, et non à ceux d'un vil hasard.

Ton ex-recherchiste

Ta biographe

Mais surtout, ton amie…

Louise-Marie Lacombe

À ma petite Élizabeth que j'aime moi aussi « gros comme le ciel, comme l'arc-en-ciel et ses différentes couleurs, comme l'amour et le cœur. »

— Maman

À Michel, mon conjoint, pour ton encouragement, ton dévouement et ton amour depuis le tout début.

— Annie

Par souci de confidentialité ou de professionnalisme, les noms de certaines personnes ont pu être modifiés. La chronologie de quelques événements également.

LES SIGNES PRÉCURSEURS

Saint-Édouard-de-Fabre, Témiscamingue

4 ans

Encore une fois, les murs de notre petite maison de Saint-Édouard-de-Fabre sont témoins de cette sempiternelle phrase lancée par ma mère. Un ton autoritaire certes, mais révélant également une pointe d'ironie. S'ensuit un soupir au goût amer. Un simple signe d'exaspération, mais expulsé de sa bouche à la manière d'un mourant qui rend l'âme. Malgré l'avertissement, mes pieds ne cessent de marteler le sol, alors que tout le reste de mon corps semble en transe. Des mouvements saccadés et sans rythme se succèdent, accompagnés d'une voix d'enfant aussi nasillarde que les criailleries d'un corbeau. Mes élastiques à boules roses peinent à dompter mes lulus rebelles fortement malmenés par mes brusques mouvements de tête.

— Annie, arrête de danser !

Cette trépidante chorégraphie s'apparente bien plus à une cavalcade qu'à une farandole innocente de fillette. À vrai dire, elle n'a de « danse » que le qualificatif employé par ma mère et visant à minimiser cette crise infantile et puérile. Mais dans ma tête à moi, la mutinerie ne fait que commencer.

— Non, non et non. Je n'arrêterai pas !

On a beau me sommer de me taire, je crie encore plus fort. Et si on m'interdit de gesticuler, j'ordonne alors à mon pied de protester jusqu'à en abîmer le lustre du parquet fraîchement ciré. C'est comme ça que, du haut de mes quatre ans, je R-E-V-E-N-D-I-Q-U-E.

Au nom de quelle cause, déjà ? Probablement à la suite de la dérobade d'un jouet par mon frère. À moins que mes parents ne soient en train d'assister à une rébellion contre cette règle insensée qui m'oblige à terminer mon assiette. Peu importe : chaque fois, ce qui me motive n'est jamais tant l'événement que l'immense sentiment d'injustice qu'il vient éveiller dans mon âme. Et que dire de ceux d'impuissance et de colère qui m'envahissent lorsque personne ne daigne réagir devant des iniquités de la vie aussi flagrantes ?

— C'est pas juste !

Mais comment expliquer cette émotion à des adultes, qui n'y perçoivent qu'un vil caprice ou tout au plus un vulgaire enfantillage ? Et moi, qui ne possède encore ni le vocabulaire, ni la patience nécessaires pour décrire cette pulsion qui monte à la manière d'une éruption volcanique, je devrais me contenter d'observer ma mère qui continue tout bonnement à faire la vaisselle ? Pas question !

Alors je m'acharne à crier à pleins poumons, à sauter plus haut, à piétiner plus fort, à chigner plus vigoureusement et à larmoyer jusqu'à l'assèchement complet de mes glandes lacrymales. Tout cela parce que je ressens la conviction profonde qu'il faut agir devant l'indifférence. À peine haute comme trois pommes, je refuse déjà de fermer les yeux. J'aurais compris le principe des moulins à vent de Don Quichotte, que je me serais certainement entêtée à vouloir les faire tourner rien qu'à la force de mon maigre souffle.

Pendant plusieurs années, mes parents ont appelé cela de l'obstination. Plus tard, au cours de ma carrière, j'ai compris que ce volcan

— heureusement mieux canalisé — porte, dans le milieu adulte et journalistique, un nom qui allait devenir mon premier principe : **<u>le feu sacré</u>** !

Burlington. Ferme de mon oncle.

8 ans

Je crie, je pleure, je me débats. Cette fois-ci, parce que j'ai l'impression que ma vie ne tient plus qu'à un fil.

— Maman, papa. Au secours !

Ma voix trahit ma terreur. Pour la première fois de ma vie, une réelle panique s'empare de mon être. Le rude cordage effiloché se resserre autour de ma taille. Son frottement est intense et le mince tee-shirt que je porte ne réussit évidemment pas à en prévenir la brûlure. La douleur s'intensifie à chaque mouvement maladroit. Et Dieu sait que je gigote !

— Tais-toi, Annie. Je vais te sortir de là, mais arrête de crier, supplie mon blondinet de frère en réalisant la punition qui l'attend si mes parents réalisent le pétrin dans lequel il vient de me foutre.

Comme si j'allais me taire ! De toute façon, je ne décode même plus ses mots. Et comment Camil peut-il prétendre pouvoir me sortir de là puisque c'est lui qui, debout et les deux pieds solidement rivés au sol, est attaché à l'autre bout de la corde ? Tout cela à cause d'une précédente ruse !

Dix minutes plus tôt...

— Viens, je vais te montrer quelque chose. Tu vas adorer ça !

Promesse de loup envers une proie trop tendre ! Après tout, la cour d'oncle Rémi, chez qui nous venions d'arriver pour le week-end, possède toutes les allures d'un immense terrain de jeu. Voilà sans doute pourquoi ma méfiance cède naïvement sa place au plus enfantin des émerveillements. Curieuse de nature, je souhaite découvrir les moindres recoins de cette cour et bien sûr caresser ces animaux dont j'ignore évidemment tout du triste destin de ferme. Bref, ma garde est baissée et mon frère ne le sait que trop bien…

Je commence à me douter que quelque chose cloche lorsque je constate que l'endroit où nous nous immobilisons ne semble rien contenir d'intéressant. Je n'y aperçois que quelques débris épars sur lesquels repose une corde passablement usée. Je réalise avec inquiétude que nous nous sommes beaucoup éloignés des adultes. En devinant la malice dans le regard de Camil, je les cherche avidement des yeux. Peine perdue ! Ils sont probablement tous déjà rentrés dans la maison.

Camil enroule la corde autour de ma taille sans même que j'aie le temps de réagir, encore moins de fuir. Au début, il se contente de me tirer à mains nues, tandis que je lui résiste à la manière d'un cheval sauvage. Puis, voyant que je vais lui donner du fil à retordre, il décide d'adopter une technique plus efficace. Le voilà qui noue le cordage à son propre corps et se met à courir à toutes jambes. Évidemment, je n'ai d'autre choix que de le suivre.

Mon pied heurte parfois douloureusement un caillou au passage. Poussière, racines et flaques de boue témoignent d'une glèbe campagnarde contrastant avec la stérilité des parterres urbains trop aplanis. Bien malgré moi, je suis entraînée dans une pénible course à obstacles. Sans compter que mon frère prend un malin plaisir à zigzaguer et que ses deux années de plus que moi lui confèrent un avantage physique non négligeable.

— Mais, qu'est-ce que tu fais là ?

Pour toute réponse, le voilà qui se met à gravir le tronc du grand chêne. N'eût été de ses efforts à me tirer, j'aurais été bien incapable de grimper jusqu'à pareille hauteur. Mais la corde me sert de matériel d'escalade et je parviens à me hisser en la tenant à deux mains et en appuyant mes pieds contre l'arbre. Je grimpe ainsi à la manière dont Batman escaladait les murs des édifices sur notre écran de téléviseur noir et blanc. Pendant un moment, c'est presque rigolo.

Mais voilà que Camil décide tout bonnement de redescendre en sautant de branche en branche et en longeant le tronc pour revenir au sol. Or, ma taille trop frêle ne me permet pas ce genre d'acrobatie. De surcroît, je n'ai plus aucun cordage vertical auquel me retenir.

— Allez, peureuse ! T'attends quoi pour descendre ?

Ce que je crains le plus est en train de se produire. Camil se met à tirer sur la corde. Je réplique en tiraillant à mon tour en sens contraire.

— AAAAAAAAAAAH !

— Chut, chut ! Mais arrête de crier ! Papa et maman vont t'entendre.

Tiens, mais quelle bonne idée ! Sa meilleure de la journée, en fait.

— Maman ! Papa ! Au secours !

— Tais-toi, Annie. Je vais te sortir de là, mais arrête.

Entre deux cris hystériques, je parviens enfin à trouver refuge contre une grosse branche, en m'y agrippant aussi solidement que les serres d'un faucon autour du cou d'un lièvre.

— Bon, tu vois que ce n'était pas si grave ! Allez, saute maintenant ! Tu es plus basse que tout à l'heure.

Ai-je bien entendu ? « Saute maintenant » ? Non mais, il n'y pense pas ! Ma peur ne s'est pas évaporée, bien au contraire ! Me voilà prisonnière d'une branche qui m'apparaît à la fois comme ma seule salvatrice et ma pire ennemie. La crainte d'une chute demeure omniprésente. Et s'il décidait de tirer sur la corde encore une fois ?

Après tout, ce frère-aîné-mini-despote-en-culottes-courtes n'est-il pas le même qui se plaît à me courser pour décrocher le combiné du téléphone... et qui n'hésite pas à me l'arracher des mains et à me donner un coup sur la tête si j'ai le malheur de le saisir avant lui ?

Je voudrais lui répondre, mais je n'en trouve carrément plus le courage. Il vient de se produire quelque chose de terriblement humiliant. Je ne crie plus. Un lourd silence s'abat au même rythme que l'écoulement d'urine qui s'échappe irrévérencieusement de ma culotte. Et mon frère, lui, ose en rire.

Ce n'est que lorsque mon père, visiblement fâché, arrive enfin à ma rescousse que ce galopin trouve la chose passablement moins amusante. Fidèle à son habitude, la réprimande paternelle est imposante. Quant à moi, je vacille entre le soulagement et le sentiment de souillure. J'ai honte... terriblement honte !

Chose certaine, un second principe vient de s'inscrire à mon agenda: combattre dorénavant tous les tyrans et les malfaisants de ce monde !

Les limites de la tyrannie sont celles que tolère la patience de ceux qu'elle opprime.

— Frederick Douglass

Ici Annie Gagnon.

Chouette, la voie est libre !

Camil joue avec mes cousins et mes parents sont occupés avec le reste de la famille. On revient tous du baptême de mon nouveau petit frère. Je ne comprends pas trop pourquoi on me dit qu'il vient de recevoir son nom aujourd'hui, parce que tout le monde l'appelait déjà Alain depuis qu'il était au monde.

Le nouveau bébé est en effet arrivé il y a quelques semaines. Il n'aurait pas plus mal choisir son temps, puisque maman a commencé à avoir des contractions alors que nous assistions tous à un mariage. Ce soir-là, c'est bien malgré moi que j'ai dû quitter la fête et papa a roulé à toute vitesse vers l'hôpital. Ensuite, mon frère et moi avons attendu très longtemps dans la voiture avant qu'il ne vienne enfin nous annoncer la naissance du bébé. Comme c'est long de rester dans une voiture ! En plus, il faut faire attention de ne pas la salir parce que celle de papa est toute neuve : une belle Chevrolet vert pomme. Il dit que c'est un modèle avec une couleur… comment il dit ça déjà ?… Ah oui !… une couleur « dernier cri ». Il paraît que toutes les voitures auront bientôt ce genre de couleur vive à l'avenir. Alors ça va être drôlement joli l'avenir.

— Où vas-tu, Annie ?

Mince ! Ma mère a des yeux tout le tour de la tête !

— Nulle part. Juste au sous-sol.

Oui, au sous-sol. Parce que c'est là que se trouve mon magnéto-phone à cassettes. Quand je ne risque pas de me faire prendre, je vais y enregistrer mes entrevues. Évidemment, il me faut changer de ton à chaque personnage. D'abord, la voix grave de mon animatrice :

— Madame Unetelle, qui vous fait rire le plus dans votre famille ?

17

Et bien sûr celle, plus légère, de mon invitée :

— C'est mon oncle Gilles.

Et la discussion d'aller bon train entre moi et moi-même :

— Ah bon ! Et qu'est-ce qui vous fait rire chez lui au juste ?

— Son histoire de météo.

— Vous voulez bien nous la raconter ?

— Mon oncle est journaliste et il doit faire la météo à la radio. La semaine dernière, je lui ai demandé comment il pouvait deviner le temps qu'il allait faire.

— Intéressant comme question ça. Et qu'est-ce qu'il vous a....

Une malheureuse quinte de toux vient soudainement couper le sifflet à mon animatrice. Ça arrive souvent quand je vais dans les tons de voix un peu trop bas. Mais ce n'est pas grave. Oncle Gilles m'a déjà dit qu'il suffisait alors de s'excuser et de continuer.

— Pardon mesdames et messieurs. Une gorgée d'eau et tout sera réglé. Voilà.

Et évidemment, comme on est à la radio je provoque un bruit de verre contre la table de ping-pong pour que les auditeurs l'entendent bien. Et en grande professionnelle, je reprends l'entrevue comme si de rien n'était.

— Alors madame Unetelle, qu'est-ce que votre oncle a répondu, au juste ?

— Ben, qu'il regardait par la fenêtre pour voir s'il y avait ou non des nuages.

Un jour, je jure que je serai devant un vrai micro. Et avec un peu de chance, je lèverai moi aussi les yeux vers les nuages pour dire aux gens quel temps il va faire.

Pour ce qui est de l'avenir, il ne s'agit pas de le prévoir, mais de le rendre possible.

— Antoine de Saint-Exupéry

L'été de mes 16 ans.

Un vendredi de mai, vers 14 h 30.

— Tu viens au *beach party* après l'école ?

Un court instant, l'invitation de ma camarade de classe me surprend. Disons qu'à l'école, je ne fais pas vraiment partie de ceux à qui on accolerait volontiers le titre de fêtarde. Oh ! Je ne suis pas sans amis, loin de là ! Mais ils connaissent mon style de vie discipliné, sportif et qui surtout ne provoque pas beaucoup de vagues. Le fait que mon père enseigne au même établissement aura d'ailleurs certainement contribué à freiner les propositions délictueuses de certains gamins, sans doute frileux à l'idée d'être ensuite recalé dans son cours de mécanique. Mieux valait, pour eux, me laisser à ma petite vie tranquille.

Bref, l'option de la délinquance ne se présente pas à moi. Je n'en ai ni le temps, ni les occasions. Mon emploi du temps ne laisse place à rien d'autre qu'à la gymnastique, au piano et aux études. Tous les jours, de 15 h 30 à 18 h 30, mon corps subit les assauts d'un entraînement rigoureux : poutre, barres asymétriques, cheval-sautoir et enchaînements de gymnastique artistique au sol. Mais depuis peu, ce même corps prend les formes naissantes d'une femme, de même que la souplesse et l'élégance d'une gymnaste. Encore innocente, je n'imagine pas que cela puisse susciter un sentiment de crainte chez mes parents. Surtout chez mon père. Les pères éprouvent tellement de difficulté à voir leurs filles grandir. Une peur crasse qui leur colle à l'âme comme une teigne à la peau d'un miséreux. À seize ans, je n'ai nullement l'expérience nécessaire pour comprendre une telle frousse parentale. Une innocence vierge à l'égard de laquelle lui, homme dans la quarantaine, a accumulé trop de méfiance pour se soustraire à cette peur.

— Un *beach party* ? Vraiment ?

— Oui. C'est ce soir à huit heures. Tu vas venir, hein ?

Tant pis si, pour un soir, j'ose remettre mes devoirs à plus tard. Après tout, c'est vendredi, non ? J'ai bien droit de m'amuser un peu moi aussi. C'est décidé ! Sitôt l'entraînement terminé, je filerai à cette fête.

* * *

BANG !

Un bruit sourd résonne dans tout le gymnase. Je viens de m'écraser lourdement au sol, après avoir pitoyablement raté un transfert de barre. Un mouvement simple, pour lequel je n'éprouve pourtant aucune difficulté, d'habitude. Quel déshonneur ! Je me demande d'ailleurs ce qui s'avère le plus blessant : le brusque impact que mon corps vient d'encaisser ou ce superbe camouflet infligé à mon orgueil. Les ecchymoses et les courbatures, elles, possèdent au moins la faculté de guérir.

— Tu t'es fait mal ? me demande l'entraîneur.

— Non, non, ça va.

Je mens. Il le devine quand je me relève en me frottant les mains : j'ai oublié de les enduire de craie avant de monter aux barres. Une erreur de débutante, alors que plusieurs années d'entraînement s'inscrivent pourtant dans mes muscles. Je dis bien dans mes muscles, parce que ce soir-là, il est clair que ma tête, elle, n'est pas au rendez-vous.

Normal... elle est à la plage.

* * *

Une bande de jeunes se rassemble près du lac. Presque tous les élèves de l'école sont là. Plusieurs personnes commencent à agir de manière un peu bizarre. Bien qu'il soit encore tôt, les effluves d'alcool embrument déjà leurs cerveaux. Et franchement, je n'éprouve aucun plaisir à les voir s'agiter ou à hurler en brandissant des bouteilles de bière.

Les minutes passent et de drôles d'odeurs commencent également à se faire remarquer. Tout à coup, j'aperçois au loin les gyrophares d'une voiture de police. Pour moi, il devient clair qu'il ne me reste plus rien à faire ici. Alors je quitte l'endroit tout bonnement, déçue que la fête se soit terminée de façon aussi abrupte. Il me reste un bon bout de chemin à parcourir à pied pour arriver chez moi, mais qu'importe. Il fait si beau. J'ai toujours adoré me promener dehors lors des chaudes soirées de fin de printemps.

Ce que j'ignore, c'est que durant ce temps l'intervention policière bat son plein et qu'elle est devenue le sujet de l'heure dans toute la ville. Plusieurs arrestations sont en cours, notamment pour possession de stupéfiants. Et cette information parvient très rapidement aux oreilles de mon père. Bleu de colère, il se rend sur place en voiture et constate avec étonnement l'ampleur de la situation.

— Désolé monsieur, pas le droit de passer, lui dit un agent.

— Mais, je cherche ma fille, répond mon père.

Impossible pour lui de traverser le périmètre érigé par les forces policières. En revanche, ses yeux scrutent avidement la scène dans l'espoir de les poser sur moi. Pour lui, il est absolument I-M-P-E-N-S-A-B-L-E qu'un de ses enfants se soit retrouvé dans un endroit où de jeunes écervelés consommaient de l'alcool et des drogues. Pis encore, il croit maintenant au crime par association. Lorsque j'arrive à la maison, la voix de ma mère tremble.

— Où étais-tu ?

— Au *beach party*.

— J'espère que tu n'en as pas pris l'habitude.

— De quoi ?

— De l'alcool, réplique ma mère.

Elle ne sait donc pas que l'alcool ne m'intéresse pas ? Aussitôt après l'entraînement, je rentre souper et c'est à peine s'il ne reste assez de temps pour faire tous mes devoirs.

— Où est ton père ?

— Papa ? Mais comment je le saurais ?

— Il est parti te chercher figure-toi. Et je te préviens que ce ne sera pas drôle quand il va revenir. File dans ta chambre !

Je comprends mal ce qui se passe. Mais je préfère obéir et m'expliquer avec mon père à son retour. Après tout, je n'ai rien fait de mal et ça il le comprendra sûrement. Un brusque et inhabituel claquement de porte présage pourtant du contraire. Jamais de ma vie je n'ai vu mon père aussi fâché.

— Papa, je…

— Non mais à quoi as-tu pensé ?

Le timbre de voix est imposant. Pas moyen de lui faire entendre raison. Ses yeux fulminent. Il ne sait sans doute pas que lui non plus n'a rien à se reprocher. Il ignore aussi comment verbaliser sa peine. Les pères le savent rarement. Et moi, j'ai bien conscience que n'importe quelles paroles de ma part ne résonneraient à ses oreilles que comme de pures et viles excuses.

En signe de fragilité visiblement maladroite, il refusera ensuite de m'adresser la parole pendant quelques jours. Et moi, je comprends ce jour-là qu'il n'y a pas de pire ennemi que le silence.

Le silence a le poids des larmes.

— Louis Aragon

LES DÉBUTS DU MÉTIER

Un secret bien gardé

Sudbury, été 1986

Après des études universitaires en sciences politiques et en journalisme, me voilà enfin prête à affronter le monde.

> — Alors voici la salle des nouvelles. Bienvenue dans ton nouveau milieu de travail !

Bizarrement, cet accueil du chef de pupitre m'intimide. Je me contente de lui sourire poliment et de le remercier. Me voici pourtant à l'endroit où des centaines de candidats souhaiteraient se retrouver : la salle des nouvelles radiophoniques de Radio-Canada.

C'est mon père qui, preuve qu'il croyait en moi, m'avait encouragée à soumettre ma candidature. Il percevait comme un atout non négligeable que les services des régions éloignées privilégient la relève dans leurs propres secteurs. Une candidature que quelques personnes estimeraient prétentieuse et dont elles n'hésiteraient pas à se moquer, convaincues que son but est tout bonnement inatteignable à mon âge. Théoriquement, je devrais donc sauter de joie. Alors pourquoi une oppression si étrange me ronge-t-elle l'estomac ? Ce qu'on me présente ici n'a rien à voir avec les jeux du sous-sol de mon enfance : faire des entrevues, amuser les gens, devenir une grande vedette de télé ou une héroïne qui attraperait les canailles.

Aujourd'hui, à 21 ans, je me rends compte que mes aspirations professionnelles s'inspirent encore un peu de cette fantaisie ludique. Et si je m'imagine encore très bien en train d'animer une émission de variétés, de critiquer un spectacle lors d'une chronique ou de mousser une activité culturelle, je crains pourtant la salle des nouvelles. Derrière cette inquiétude sommeille un secret soigneusement gardé. La leucosélophobie, ça vous dit quelque chose ? Oui, bon, en d'autres termes… le syndrome de la page blanche !

Plus jeune, je pouvais passer un temps fou à trouver les bons mots d'une dissertation scolaire. La nature aura tout de même compensé cette faiblesse en me dotant d'une aisance verbale peu commune. Il peut sembler difficile de croire qu'une grande facilité d'élocution ne soit pas jumelée d'emblée à une plume gracieuse. Moi-même, je n'en comprends pas la raison, mais je dois composer avec cet illogisme.

Si je n'étais pas si fière, je rigolerais de cette condition en affirmant avoir le *trente tardif*. Après avoir terminé un texte journalistique, il est en effet d'usage d'en marquer la fin en y inscrivant le nombre trente entre deux cadratins, comme ceci :

— 30 —

Les véritables origines de cette coutume demeurent inconnues. En fait, quatre théories existent à ce sujet. Une première histoire, probablement la plus crédible, nous ramène à l'époque où les auteurs de communiqués de presse devaient remettre leurs épreuves au moins 30 minutes avant l'heure de publication, permettant ainsi au chef de pupitre de les réviser à temps. Inscrire ce code aurait indiqué qu'ils avaient réussi à les remettre dans les délais prescrits.

La deuxième (nettement plus farfelue) provient d'Angleterre, région où semble-t-il, tout comme leurs farfadets nationaux, les journalistes aimaient un peu trop s'amuser. On raconte que ces grands fêtards avaient pour mauvaise habitude de consommer de l'alcool immédiatement après le boulot. Le nombre trente (*thirty*) dériverait du mot *thirsty,* qui signifie « assoiffé ». Ils auraient donc utilisé cette pratique délassante pour tout simplement marquer la fin d'une longue journée de travail.

Certains autres affirment que la grande responsable fut plutôt la Seconde Guerre mondiale, alors que ses correspondants devaient réduire le contenu de leurs télégrammes à une trentaine de mots à peine. Une seconde version de cette même histoire atteste que ces journalistes marquaient la fin de leurs messages en inscrivant — XXX — ce qui, en chiffres romains, équivaut au nombre trente.

Finalement, certains professeurs de journalisme racontent l'histoire d'horreur d'une salle de presse incendiée ayant fait trente victimes. Bizarrement, personne ne peut mentionner où, ni à quel moment ce terrible drame se serait produit.

Trêve de légendes. La seule vérité dont je sois certaine pour l'instant, c'est le constat que, sauf moi, tous ceux qui fourmillent en ce lieu de travail semblent avoir hérité des gènes du grand Thot[1] lui-même.

— Nathalie, prépare-moi en vitesse un texte d'ouverture pour mon topo[2]. Il doit être en ondes dans dix minutes, lance un animateur en passant en un coup de vent près d'une collègue.

Pas étonnant que je sois devenue pianiste (un autre secret que, pour quelques raisons obscures, je me garde bien de dévoiler), art par lequel la musique propose à l'humanité ses plus grands chefs-d'œuvre grâce à un simple langage composé de sept notes. Mais comme aucun piano ne risque de venir embellir cette salle des nouvelles, je n'aurai d'autre choix que de me conformer au sien : l'écriture. Un défi qui me paraît titanesque.

[1] Thot : dans la mythologie égyptienne, dieu inventeur du langage et de l'écriture.
[2] Topo : terme communément utilisé pour désigner un reportage.

Toujours avoir du papier rose à portée de la main, ça évite l'angoisse de la feuille blanche.

— Philippe Bouvard
Journaliste français

La première gaffe professionnelle

Jusqu'à présent, j'avoue avoir joué de chance ! Histoire sans doute que je m'habitue aux aires de la maison, le premier reportage auquel on m'a assignée s'échelonne sur du moyen terme. Normal ! On débute tous par ce qu'on appelle *la rubrique des chiens écrasés*, c'est-à-dire des affectations de moindre importance, généralement intemporelles et que l'on peut remplacer facilement advenant une nouvelle d'actualité plus sérieuse.

Mon *red-chef*[3] ignore bien sûr que j'y consacre du temps en soirée pour pallier mon manque d'inspiration. Il faut voir la scène : munie de feuilles et d'un stylo, me voilà étendue sur le divan d'une dame chez qui je loge temporairement. Évidemment, les pages restent vierges. Tout m'énerve ! En particulier ces maudits poils de chat présents partout dans la maison et surtout sur ce fauteuil d'un bleu trop contemporain à mon goût. Ma présence sur *ses* coussins irrite au plus haut point le félin, dont les yeux perçants et le miaulement rauque indiquent une déclaration de guerre.

— Déguerpis, Moustache !

Je déteste les chats ! Des créatures paresseuses et hypocrites. Chose certaine, je n'en posséderai jamais. Mais pour le moment, je dois me consacrer à une bête mille fois plus imposante : le reportage que je dois terminer pour demain. Au fil des semaines cependant, je me surprends à écrire un peu plus rapidement. On dirait que la gymnastique rédactionnelle quotidienne que je me suis imposée porte ses fruits. Je mise sur ma force : la parole.

Alors plutôt que de me forcer à écrire, je formule ma pensée comme si j'allais prononcer un discours dont je conserve les plus beaux passages. Je les couche ensuite sur papier et je les relis à haute voix. Ma parole devient le mot à écrire et non l'inverse. Étonnamment, cela fonctionne. Je vouerai toujours une grande admiration aux écrivains qui peuvent entreprendre la rédaction d'un manuscrit sans

[3] Red-chef : rédacteur en chef.

mourir de peur. D'ores et déjà, je côtoie des gens à la plume facile qui en caressent le rêve. Et le monde journalistique me fera certainement croiser la route de certains qui, parallèlement à leur carrière, deviendront de grands auteurs. J'irai avec bonheur me procurer leur ouvrage au Salon du livre, mais mon défi à moi restera plus humble : continuer à peaufiner mon style de rédaction.

Évidemment, il y a un prix à payer pour toutes ces heures supplémentaires visant à l'amélioration de mes performances : la fatigue. À force de prendre de l'avance sur le boulot, je retranche à coup sûr ici et là quelques heures de sommeil. Au début de la vingtaine, on ne s'en rend pas toujours compte. N'est-ce pas également à cet âge que la fierté d'une réalisation personnelle peut parfois prendre les airs d'une légère arrogance ? Juste assez en tout cas pour dégager une fausse assurance.

— Dis-moi, Annie, tu te sens prête pour couvrir un événement d'actualité ?

— Bien sûr ! Lequel ?

— Un conseil scolaire.

— Aucun problème, patron.

— Parfait. Rends-toi sur place à 19 h.

Pas très excitant, mais, quand même, c'est la première fois que j'assiste à un événement de la région où d'autres confrères du secteur sont présents, dont une journaliste d'un média anglophone. On se présente, on papote un peu. Elle est drôlement sympathique. Elle m'accompagne sur le chemin du retour. Je presse le pas car je veux commencer à rédiger le plus tôt possible. Ma collègue, au contraire, lambine un peu. On dirait qu'elle prend tout son temps. Je la questionne sur sa méthode de travail. J'apprends qu'une fois arrivée à la maison, elle mettra tout sur la glace jusqu'au lendemain après-midi. Je jalouse un peu ce calme qui émane d'elle.

Au moment de nous séparer, je prends alors une décision importante. Me voilà bien décidée à faire enfin la même chose qu'elle. Après tout, les dernières semaines d'efforts n'ont-elles pas façonné en moi la journaliste professionnelle que j'ai toujours désiré devenir ? Preuve que la salle des nouvelles m'effraie maintenant beaucoup moins qu'au moment de mon arrivée, j'ai le sentiment de pouvoir m'accorder cette petite gâterie.

La gaffe ! Le lendemain matin, en croisant le *red-chef*, ce dernier me demande de lui remettre le texte sur son bureau.

— Pas de problème. Vous l'aurez sans faute vers la fin de l'après-midi.

Son visage change.

— Quoi ? Tu veux dire qu'il n'est pas encore terminé ?

— Comment ça, terminé ? L'autre journaliste m'a dit qu'elle ne ferait le sien qu'en mi-journée…

Il fulmine, mais parvient quand même à me parler calmement. Il me fait comprendre que si les actualités locales francophones peuvent être traitées plus tard par le réseau anglophone, elles doivent l'être prioritairement dans notre salle à nous.

Mon entrée dans la cour des grands est fichue ! Le topo qui devait être diffusé au premier bulletin de nouvelles n'y figurera pas. Je viens de commettre une grave erreur.

Cette bourde m'aura appris une leçon importante : ne rien remettre au lendemain, et surtout de ne jamais croire mes faiblesses comblées par une apparence de victoire. Une leçon que j'ai d'ailleurs l'intention de retenir bien précieusement tout au long de mon parcours professionnel.

Il y a de l'or dans l'erreur.

— Matthieu Chedid

TORONTO

DRAMES PERSONNELS ET AFFAIRE BERNARDO

Radio-Canada, Toronto

Juin 1991

Comme tous les lundis matin, la salle de rédaction grouille déjà de va-et-vient. Une vraie ruche ! Crayon sur l'oreille et visage appuyé sur leur poing, des confrères épluchent les éditions matinales des journaux locaux. Quelques secrétaires échangent sur leur week-end jugé trop court. Bref, un début de semaine en tout point semblable aux autres… du moins pour eux. Car pour moi, ce jour-là, l'immense pièce que je partage avec ma cinquantaine de collègues me paraît froide. Même l'odeur du café — liquide auquel je carbure d'habitude — me semble fétide à m'en donner la nausée.

— Salut Annie, ça va ?

— Oui, oui, très bien.

Une réponse vague et distraite ! Je ne me retourne même pas pour croiser le regard de celui qui vient de me la poser. De toute façon, ces banales politesses exigent rarement que l'on s'attarde à leurs répliques. Et voilà justement ce qu'aujourd'hui je reproche à mon métier : la banalisation ! Jusqu'à quel point devient-on machinal dans le traitement de la nouvelle ? Mais surtout, jusqu'à quel point nous, les journalistes, nous désensibilisons-nous aux drames humains ? J'ai toujours dit que jamais je n'aurais œuvré dans le milieu médical, parce qu'il fallait rester de glace devant la souffrance, paradoxalement dans le but de la soulager. Une carapace nécessaire. Mais bien trop épaisse pour moi et sous laquelle, personnellement, je me serais tout simplement écroulée. Du moins l'ai-je cru jusqu'à ce jour.

La voix du *red-chef* me rappelle soudain à l'ordre.

— O.K. En salle de *débriefing,* tout le monde !

Le *débriefing* ! Rencontre matinale où chacun pourra connaître son affectation du jour et apporter quelques idées fraîches en vue de futurs reportages. Un incontournable dans la vie d'un journaliste. Mais aujourd'hui, je me traîne les pieds pour m'y rendre. Je n'en ai aucune envie. Trop occupés à cogiter, à griffonner une note dans leur carnet ou simplement à rigoler entre eux, mes camarades ne remarquent pas mon état d'âme. Et nous tous de prendre place dans cette salle de conférence à la manière des chevaliers autour de leur Table ronde.

— Une autre nouvelle intéressante aujourd'hui, ajoute le patron, c'est l'histoire de ce policier qui a frappé un petit gars à vélo.

— Est-ce que la victime est morte, demande un collègue qui n'a de toute évidence pas eu le temps de prendre connaissance de l'événement ?

— Oui, justement, alors ce dossier devient prioritaire. On veut connaître les circonstances exactes de l'accident et bien sûr tout fouiller sur ce flic. Est-ce qu'il a déjà reçu des plaintes ou subi des mesures disciplinaires ? Est-ce que…

— C'est mon cousin !

Mon abrupte interruption vient de créer l'étonnement.

— Quoi ? Le policer est ton cousin, me répond un confrère ?

— Non, pas le policier. Le jeune ado qui s'est fait tuer.

Une douche glacée. Voilà ce qu'on ressent parfois quand la nouvelle prend une forme plus humaine. Quand nous n'avons d'autre choix que d'y apposer un visage et un nom. Quand on prend conscience que ce que l'on observe et analyse au quotidien, sur ton neutre et distant, vient de se produire tout à côté, en écorchant sauvagement un proche au passage.

Le ton change. L'atmosphère aussi. Je sais que les gens qui m'entourent ne voient plus les choses du même œil. Ils répriment un malaise. Voilà précisément le genre de situation qui nous ramène à la bête intérieure que nous refusons de voir : celle de l'indifférence cachée sous des airs de professionnalisme. Tout à coup, le « petit gars » devient Joël. La victime s'incarne en un jeune cycliste qui rentrait tout bonnement chez lui cette nuit-là. Un jeune à qui, hier soir encore, la vie, insouciante et éternelle, s'annonçait pleine de promesses. Un sportif en herbe inspirant profondément à chaque grand coup de pédale… pour ensuite subir le choc injuste et mille fois trop violent d'une auto-patrouille surgissant de nulle part. Pour la première fois, me voici confrontée à l'ennemie jurée du monde journalistique : celle d'une nouvelle qui prend chair dans la nôtre.

J'ai mal pour ma tante, qui vient de perdre un enfant de 15 ans à peine. Je me demande comment, dorénavant, j'établirai le contact avec des parents en deuil.

Je ne tarderai malheureusement pas à le découvrir puisque, quelques mois plus tard, un tueur encore inconnu rôde malicieusement dans les rues de Burlington. Et un soir, une jeune adolescente un peu trop rebelle, Leslie Mahaffy, reste assise en bougonnant devant la résidence familiale, là où une porte maintenue verrouillée est censée lui servir de leçon pour un couvre-feu non respecté.

Burlington, juin 1991

Résidence de Leslie Mahaffy

Je dois aller cogner à cette même porte. Cette entrée maudite pour laquelle la jeune Leslie a déjà fort possiblement payé de sa vie. À vrai dire, à ce moment-ci, on l'ignore encore. On s'en doute, mais en se gardant bien d'en faire mention en ondes. On ne se contente pour l'instant que de diffuser l'information officielle : que l'adolescente a mystérieusement disparu sans laisser de traces. Ses parents avaient d'abord cru qu'elle s'était réfugiée chez une amie après s'être frappé le nez au loquet verrouillé. Mais le lendemain, l'absence de Leslie à la cérémonie funéraire de l'un de ses camarades les avait profondément inquiétés. Depuis, aucune nouvelle !

Chaque fois que je dois aller interroger des parents en si tragiques circonstances, j'ai l'impression de commettre un véritable sacrilège. Les façades de ces maisons deviennent des lieux sacrés, que seule ma carte de presse me permet de profaner. C'est fou comme une carte de presse peut à la fois conférer certains avantages, mais également provoquer chez son détenteur un sentiment d'ingérence ingrate, voire parfois inhumaine. Dans ce cas précis, c'est cette forte réticence qui m'habite. En même temps, je m'accroche au faible espoir qu'une entrevue avec les parents puisse contribuer à la survie de la petite. Mon dieu, faites que quelqu'un puisse la reconnaître et la sortir du merdier certain où elle se trouve ! Je n'ai tellement pas envie de revoir à nouveau la tristesse sur le visage d'un parent… d'un parent… Mais comment diable appelle-t-on un parent qui perd un enfant ? Cette langue que j'affectionne tant, et grâce à laquelle je gagne même ma vie, ne possède aucun mot pour les décrire. Ce serait pourtant si simple. Un parent qui perd son ange : un *parange* ! Est-ce que je viens d'inventer ce terme ou ai-je déjà lu cela quelque part ? Peu importe. L'important c'est qu'il devrait exister, car cette absence de mot représente un réel outrage.

Me voilà au seuil de cette propriété privée, qui depuis quelques jours fait évidemment l'objet d'un battage médiatique. Je suis nerveuse. Je suis une intruse.

— Non, attends-moi ici, s'il-te-plaît !

Une consigne au caméraman de ne pas me suivre pour l'instant. Je préfère nettement établir le contact de façon plus humaine. J'inspire une grande bouffée d'air avant de me diriger enfin vers la résidence. En marchant, je ne peux m'empêcher de penser que la courte distance qui sépare cette dernière du trottoir ait pu fournir un avantage au présumé agresseur. Je presse la sonnette. Un homme vient me répondre. Il s'agit du père de Leslie. Je prends ma voix la plus douce. J'ai tellement peur de le brusquer.

— Mister Mahaffy[4], my name is Annie Gagnon from the French CBC. I understand your grief. Would you mind telling me about it ?

Le visage de l'individu qui se tient devant moi est celui d'un être complètement démoli. Il y a quelques jours à peine, cet homme devait pourtant paraître incroyablement solide. Il demeure cependant beau malgré l'épreuve et, en dépit des circonstances, transpire un calme relatif. Une certaine élégance, même.

Sa chemise saumon fait ressortir son teint basané et accentue le bleu des cernes incrustés sous ses yeux. Il ne m'invite pas à entrer, jugeant préférable d'aller marcher tranquillement à l'extérieur. D'un geste de la main, il m'indique le chemin à suivre vers le jardin. Lorsqu'il referme la porte derrière lui, je comprends qu'il y a trop de détresse dans cette maison pour daigner y laisser pénétrer quiconque. Un léger hochement de tête suffit pour faire comprendre au caméraman de se joindre à nous. Ces gars-là n'ont tellement pas besoin de mots pour deviner les intentions derrière les gestes les plus discrets ou les regards les plus subtils. Cette riche expérience derrière la lentille leur confère une vision fort différente du commun des mortels. Ils

---

[4] Monsieur Mahaffy, je comprends votre peine. Accepteriez-vous de m'en parler ?

distinguent facilement tout ce qui passe généralement inaperçu aux yeux du monde.

Ça tourne !

À ma grande surprise, je n'ai même pas besoin de poser de question initiale à mon invité. Il s'ouvre sans retenue, comme des écluses qui viendraient de céder sous la puissance d'un torrent trop fort. Il me parle d'elle. Il en a tellement besoin. Ça me console de constater que parfois, l'intruse puisse se métamorphoser un peu en confidente.

Ses mots pourtant criants d'honnêteté servent simplement à adoucir une amère certitude : il est clair que cet homme n'espère plus. Au plus profond de son être, il sait qu'une bête punition lui aura ravi sa fille à tout jamais. Il ignore encore tout des monstres qui ont croisé sa route, et dont les noms seront bientôt sur toutes les lèvres : Paul Bernardo et Karla Homolka[5].

Moi non plus, je ne connais encore rien de l'identité de ces êtres diaboliques. La seule chose que je sais pour l'instant, c'est que j'ai juste besoin de rentrer à la maison, de troquer mon tailleur pour un jean confortable et de me décapsuler une bouteille de bière bien fraîche.

[5] Paul Bernardo est un violeur et un tueur en série. Karla Homolka, son épouse, était complice de ses crimes.

Salle de rédaction

Quelques heures plus tard

— Annie, est-ce qu'il était ivre ?

— Quoi ? Réponds-je, surprise.

— Le policier qui a frappé mon fils… est-ce qu'il était sous l'influence de l'alcool cette nuit-là ? Ou bien, est-ce qu'on sait s'il conduisait dangereusement ? On ne frappe pas quelqu'un comme ça pour rien, surtout que ces hommes-là ont des cours de conduite bien plus avancés que nous. Crois-tu que c'est possible[6] ?

La voix de la femme à l'autre bout de la ligne pose la question à la manière d'une affirmation à peine subtile. Quand on perd un enfant, on veut tellement pouvoir au moins blâmer un coupable. La vie, sinon, deviendrait juste trop insoutenable.

— Mais ma tante, je n'ai pas accès à ce genre d'informations.

— Tu es journaliste. Pourrais-tu vérifier ?

Cette fois-ci, je devine clairement la supplication se camouflant sous les airs d'une interrogation maladroite. Et ça me fend le cœur. Pour elle, mon discours est parsemé d'incohérences. Des termes comme « éthique journalistique » ou « conflit d'intérêt » ne font évidemment pas le poids devant celui de sa perte. Mais je ne peux rien faire. Jamais la direction d'une salle de presse responsable n'accepterait d'affecter un de ses journalistes à une affaire personnelle. Je le sais et j'en comprends fort bien les raisons. On me les a déjà expliquées et je les ai entendues maintes fois de la bouche de divers collègues me décrivant des situations similaires.

---

[6] L'enquête démontra que le policier répondait à un appel d'urgence au moment de l'impact. Ni l'alcool, ni la négligence n'étaient en cause.

En revanche, personne n'a eu le courage de m'avertir que, parfois, cette neutralité professionnelle qui nous honore peut se métamorphoser en un véritable et puissant sentiment de trahison. Pour les proches, demeurer neutre peut en effet être perçu comme se rallier aux sentinelles du diable. Un choix que cette femme n'arrivera probablement jamais à me pardonner…

Quelqu'un peut m'indiquer où se dessine exactement la limite entre la neutralité noble et l'inaction coupable? Parce que moi, en ce moment, je ne suis plus du tout certaine de savoir où elle se situe.

La neutralité, c'est une chose qu'on trouve dans les discours, pas dans le cœur des gens.

— Pierre Billon

Adieu Kristen

30 avril 1992

DO NOT CROSS POLICE LINE...

... La fameuse banderole plastifiée jaune sur laquelle, cette fois, aucune carte de presse n'obtient préséance ! Et les mots de se répéter au fur et à mesure qu'un agent les déroule autour de cette scène de crime, là où gît le corps de la jeune Kristen French. Le responsable de cette ignominie l'a tout simplement laissée à l'abandon, dans un fossé en bordure d'une route près de Burlington. On ne fait pas encore le lien entre cet événement et l'assassinat de Leslie Mahaffy, dont la pierre tombale se situe à un kilomètre à peine de l'endroit où l'on vient de trouver la jeune Kristen.

— Annie, c'est toi qui couvriras les funérailles, m'avertit mon patron en arrivant au bureau.

— D'accord !

Merde ! Assister aux funérailles d'une si jeune fille ! Et celles-ci comportent quelque chose de particulièrement amer. Aujourd'hui, une multitude de jeunes ont délaissé leur banc d'école, leur cour de récréation ou leur ballon de basketball. Et tous les membres de l'équipe de patinage artistique dont Kristen French faisait partie ont accroché leurs patins au mur, le temps de lui rendre un dernier hommage. Bref, rien à voir avec le genre habituel de cérémonie funéraire dont la plupart des invités, au cheveu vif argent, ont profité de toute une vie pour apprendre à apprivoiser la mort. À l'accepter. À l'attendre. Quelquefois même, à lui accorder un sens.

De toute évidence, la majorité de ceux rassemblés ici aujourd'hui n'a pas encore eu droit à cette chance. Tout au plus, vient-on d'arracher de l'enfance une génération complète de cette petite localité sans histoire, et ce, de manière bien trop cruelle.

Mais parce que ces jeunes ne le comprennent pas encore, et qu'ils ne trouveront évidemment aucun mot pour le définir, il ne me sert à rien de les questionner à ce propos.

Cela n'est qu'un exemple parmi tant d'autres où une journaliste comme moi n'a d'autre choix que de se limiter à présenter ce qui meuble l'avant-scène. Le reste demeure caché parce qu'intangible. Je connais des reporters en zone hostile qui m'ont affirmé avoir « senti » la mort sous les décombres... alors qu'ils ne parlaient nullement de l'odeur des cadavres encore intacts, mais bien de leur simple présence.

Dans notre profession, nous oscillons souvent entre ce qui doit être verbalisé et cette zone hétéroclite où l'on finit littéralement par ressentir certaines choses à force d'observer des comportements humains tels que l'extase, le mensonge, la tristesse ou bien la peur. Un sentiment inexplicable, qui vient nous chercher jusqu'au fond des tripes et qui ne se base sur rien d'autre que sur cette mystérieuse voix qui résonne à l'intérieur de nous. Grâce à elle, nous excellons à déceler ce qui est sous-entendu, dissimulé, volontairement oublié ou simplement encore méconnu. Une prémonition ? Pas du tout ! Il s'agit plutôt d'une capacité de perception complexe et indescriptible. Une indispensable complice permettant de s'aventurer dans un schème d'analyse tout autre que celui de surface. Un sixième sens. En cela se résume justement toute la beauté de notre art. Et pourtant, notre code d'éthique exige que l'on ne rapporte... que les faits !

Que notre terrain de jeu est étrange...

L'intuition est une vue du cœur dans les ténèbres.

— André Suarès

À toi pour toujours, Paulie…

Affaire Bernardo

Palais de Justice, St. Catharines

Le prévenu, Paul Bernardo, doit aujourd'hui faire face à son enquête préliminaire.

Régulièrement, nous abreuverons le public de tous ces détails qu'il désire ardemment connaître : à quoi ressemble l'accusé ? Des membres de sa famille l'accompagnent-ils ? Si oui, de quelle souche familiale détraquée peut-il bien provenir ? Quels autres sordides événements cache son mystérieux passé ? Affiche-t-il au moins un soupçon de remords, ou bien son visage abrupt de tueur reste-t-il de glace ?

Bien sûr, les gens veulent savoir. Tout savoir. Voyeurisme ? Non. Explication bien trop simpliste ! En fait, quelques mois de métier à peine suffisent à tout bon journaliste pour se rendre compte que, derrière cette excuse populiste, se cache plutôt un moyen de défense profond et inconscient : les gens veulent jeter un œil indiscret sur les atrocités ne pouvant arriver… qu'aux autres ! Du moins, tentent-ils ainsi de s'en convaincre. Sinon, il faudrait m'expliquer comment une même population pourrait à la fois vertement critiquer ce soi-disant « sensationnalisme » de notre part, mais en redemander encore, toujours et davantage. Évidemment, histoire de se donner bonne conscience, elle tentera par la suite de tirer sur le messager. Le journaliste qui rapporte les événements devient ainsi bien souvent l'ennemi de deux clans ; de celui désirant à tout prix taire la vérité, comme de celui qui exige de la connaître.

— Ah !...

Je sursaute à la sensation de cette main qui vient de s'enrouler sournoisement autour de ma taille.

— Tu étais bien loin dans tes pensées, dis donc ! J'espère que j'en faisais partie.

— Pas ici, voyons.

Mais ce doux ce baiser volé ne semble pas déranger son auteur le moins du monde. Bien au contraire, il tente même une récidive. Et si nos patrons (nos patrons _concurrents,_ faut-il le rappeler) nous voyaient ? Bah ! Qu'importe ! Après tout, j'ai bien averti mon amoureux que, malgré l'affection qui nous liait, mon équipe produirait toujours de bien meilleures images que la sienne. Et moi, il va sans dire, la crème des reportages ! Il se contente généralement de ne répliquer à mes taquineries que par un léger sourire, tout aussi narquois que mes paroles. Mais bon, disons que deux journalistes professionnels savent à quel moment instaurer une trêve. Et il est vrai que, parfois, lorsqu'un drapeau blanc se hisse, il peut servir d'écran pour se cacher derrière.

— Dis, tu as vu cette fille ?

Une question grâce à laquelle, en un éclair, mon copain réagit en réintégrant spontanément son personnage de journaliste. Son corps se redresse et son œil exercé se remet aux aguets.

La jeune femme tient un calepin. Pourtant, son comportement démontre indéniablement qu'elle n'est pas l'une des nôtres. Quelque chose cloche. Ses joues rougissent trop facilement et ses mains tremblent. Son attitude frise le burlesque. Sa frénésie maladroite et son rire exubérant révèlent une personnalité qui cherche manifestement à attirer l'attention. Mais pourquoi tient-elle tant à se rapprocher des représentants des médias ?

On ne tardera malheureusement pas à comprendre que ce qui pouvait d'abord paraître comme de la nervosité est en fait de l'excitation. Non, « excitation » est un euphémisme. Je devrais plutôt employer des termes comme folie, dérision, dérapage ou à tout le moins de profond dérangement. La voici qui s'approche de notre groupe de journalistes pour nous avouer candidement son intention maladive :

— Hi, I'm here to see Paulie[7] !

Paulie ! Voilà le surnom affectueux que cette groupie ose utiliser pour désigner Paul Bernardo, ce tueur qu'elle n'a jamais rencontré en personne, mais avec qui elle souhaite visiblement entretenir une relation amoureuse des plus torrides.

En la regardant de plus près, on voit que la blondeur de ses cheveux contraste effrontément avec le noir de ses sourcils. Une perruque ? Une teinture platine trop criarde ? En tout cas, sa coiffure ressemble en tout point à celle de Karla Homolka. Il est clair que, dans sa perversité, elle souhaite en imiter le style. Elle s'applique donc à devenir une copie conforme de Karla : lui ressembler physiquement, en copier l'allure vestimentaire et reproduire sa démarche. Tout cela dans le but évident d'attirer sur elle le regard vipérin de Bernardo. J'ai mal dans ma chair de femme en pensant qu'une autre puisse éprouver de l'attirance sexuelle envers un meurtrier sadique qui s'amuse à violer ses victimes.

Pourtant elle se tient là, brandissant fébrilement ce carnet défraîchi dans lequel elle espère ouvertement recueillir… un autographe. Tenter de lui faire entendre raison ne servirait strictement à rien. Ça, je le sais pertinemment. Aucune logique ne peut venir à bout d'un amour, aussi démoniaque et dépravé soit-il.

En revenant à la maison ce soir-là, ma tête et mon cœur se livrent une bataille sans merci. Si la femme en moi éprouve un profond dégoût envers ce fantasme sordide et pervers, la journaliste, elle, doit tenter de le comprendre. Je repense à une phrase prononcée par mon copain quelques heures auparavant :

[7] « Bonjour, je suis ici pour voir Paulie ! »

— Tu sais, Annie, elle n'est malheureusement pas la seule.

Une réalité dont pourraient effectivement témoigner plusieurs condamnés américains croupissant dans les couloirs de la mort. Mes recherches m'ont en effet appris des choses incroyables. Par exemple, la prison de San Quentin en Californie doit souvent organiser des mariages entre des meurtriers y purgeant de lourdes peines et leurs… admiratrices. Dans plusieurs autres prisons fédérales américaines, il est même fréquent que les assassins reçoivent des lettres d'amour dès leur premier jour d'incarcération ! Ça me dépasse.

Dans le cas de Bernardo, je ne devrais sans doute retenir des audiences que toute l'horreur du geste ; deux jeunes vies fauchées, des tortures à la fois inhumaines et inutiles, et bien sûr la terreur qu'ont dû subir Leslie Mahaffy et Kristen French. J'en suis consciente. Trop consciente. Mais je n'arrive pas à effacer le visage de cette femme de mon esprit. Qu'est-ce que l'avenir lui réserve ? Bien sûr, la myriade de lettres d'amour qu'elle a envoyée à Bernardo ne se rendra probablement jamais à son destinataire. Mais je crains surtout que la victime d'un tel délire puisse également se révéler capable du pire. Après tout, n'admire-t-on pas ce que l'on voudrait être ? Ou alors, ce que l'on est déjà, mais sans jamais avoir osé l'avouer ?

Car l'admiration, plus encore que l'amour, peut être une passion dangereuse.

— Michel Tournier

Drôles de vacances

— Allez, prends tes vacances et on part en Jamaïque, me supplie ma copine Chantal.

Pourquoi pas ? Je les mérite bien, non ? Après tout, passer des mois dans une salle des nouvelles, de surcroît loin de sa terre natale, comporte quelque chose d'à la fois stressant et fatigant. Sans compter qu'au fil de l'éloignement, le risque de voir se faner de précieuses amitiés augmente considérablement. L'idée de deux filles délirantes partant seules à l'aventure résonne alors plutôt bien dans ma tête. Drôle de hasard puisque, depuis quelque temps, je combattais justement une envie maladive de me dépoussiérer les neurones en les farcissant d'adrénaline, et que Chantal représente la complice idéale pour atteindre cet objectif. Quelle meilleure compagne de voyage en effet que celle qui refuse à chaque fois de tirer des leçons de nos folies précédentes ? Par acquit de conscience, je me fais cependant un devoir de le lui rappeler :

— Tu te souviens de la dernière fois où nous sommes parties ensemble au Costa Rica ?

(Comment aurions-nous pu savoir que la marée monterait si vite dès la fin de notre excursion ? Chantale avait craint la noyade. Mais moi, ce qui m'avait le plus stressée, c'était plutôt d'imaginer les crocodiles et les serpents nager autour de nous...)

— Si je m'en souviens ? J'en ris encore...

— Ben oui, me semble...

Quelques jours plus tard, nous voilà prêtes à monter dans l'avion, avec pour seule règle de laisser une fois de plus nos cervelles à l'aéroport avant le départ !

Haut les mains !

Négril ! Petite région jamaïcaine digne des paysages les plus para-disiaques. En bonnes aventurières, nous optons pour le confort rustique d'un chalet plutôt que celui, huppé, d'un de ces hôtels où les touristes blêmes frisent la crise de nerfs si l'on ose oublier de déposer le carré de chocolat quotidien sur leur couette. Ce qui nous plaît à nous, c'est ce sentiment de liberté totale des randon-nées à bicyclette, quand le goût saumâtre d'un vent polisson vient se déposer sur nos lèvres. Ces marchés qui sentent bon les fruits et légumes frais cueillis du matin. Les rythmes de reggae sur les-quels on se déhanche librement en pleine rue sans que personne ne s'en offusque. Ici, on considère tout simplement normal et sain de danser, une qualité qu'ont malheureusement oubliée les peuples des pays nordiques.

Me voilà loin des nouvelles, des bruits de clavier, des rédacteurs en chef névrosés et des courses folles à l'information. J'ai troqué mon micro pour un verre de rhum. Je souris à l'idée de mon poste de travail en train de se recouvrir, lentement mais sûrement, d'une mince couche de poussière. À celle aussi de mon répondeur qui surchauffe et de ma chaise qui là-bas reste froide, alors qu'ici le soleil me plombe au visage.

— Hey ! Bicycle girls [8] !

Une salutation devenue quotidienne de la part des marchands de bords de route, devant qui nous passons chaque matin. Même chose pour les vendeurs du midi qui nous régalent de leur délicieux et traditionnel *jerk chicken*, une volaille cuite dans les braises d'un fond de baril et épicée à vous en flageller les papilles. Puis, à la tombée du jour, nous troquons nos bicyclettes pour un taxi qui nous emmène vers les boîtes de nuit du quartier. C'est là que nous faisons la connaissance de Darill et Dean, deux jeunes hommes de la place jouant de la séduction comme un charmeur de serpent de sa flûte. Un envoûtement auquel succombent certainement plusieurs

---

[8] « Hé ! les filles à vélo ! »

femmes qui, le temps d'un voyage d'agrément, espèrent se vautrer contre la peau épicée d'un homme aux allures exotiques. Est-ce le fait que notre quête s'avère tout autre qui finit par les attirer à nous de façon si différente ? Quoi qu'il en soit, après quelques jours, ils abandonnent leur stratégie habituelle pour nous offrir plutôt leurs services de guides touristiques. Alors là, ça devient drôlement intéressant ! Mais nous sommes loin de nous douter des destinations obscures qu'ils ont en tête et qui pourraient nous valoir la prison. De leur côté, eux ignorent mon sens de l'humour sarcastique à donner la frousse aux scélérats.

— Nous sommes arrivés, lance Darill.

— Où ça ? Je ne vois rien, dis-je en le regardant d'un air inquisiteur.

— Avance un peu, c'est là-bas dans le bois.

Faut-il être inconscientes pour les suivre de la sorte ! Mais n'oublions pas que nos deux cervelles reposent toujours quelque part dans un vestiaire de l'aéroport Pearson à Toronto. On s'enfonce donc dans les bois, jusqu'à une aire de plantation d'environ 200 pieds par 250, pour constater qu'on y cultive… de la marijuana. C'est plus fort que moi, j'ai envie de faire une blague. D'une voix grave et affichant mon air le plus sérieux je lance :

— Vous êtes en état d'arrestation ! Je suis une agente du FBI.

Chantal se fige. Les deux hommes aussi. Ma compagne me fixe avec un regard d'où fusent des poignards. Elle n'apprécie pas du tout ce genre d'humour. Paniquée, elle tente d'apaiser la situation.

— Mais qu'est-ce que tu dis là, Annie ? Ne l'écoutez pas, voyons. Elle n'est pas policière du tout, c'est juste une journaliste !

Je devine ce qui se trotte dans sa tête : nous voilà en Jamaïque, en présence de deux parfaits étrangers et aux creux d'une forêt fréquentée par des revendeurs de drogues. Alors pourquoi est-ce que moi, je n'arrête pas de rire ?

— Mais non les gars, c'est une blague !

Ils se calment un peu et heureusement, on finit par rebrousser chemin. J'en ai encore les larmes aux yeux tandis que le cœur de Chantal, lui, bat toujours la chamade.

Ce n'est qu'en arrivant au chalet que je prends conscience d'une chose : s'il s'avérait franchement inconscient de me présenter faussement comme une agente du FBI, était-il plus sécuritaire, au cœur d'une plantation de marijuana, de dévoiler ma véritable fonction de journaliste ? Ah ! Jeunesse, quand tu nous tiens !

Mais bon, ça me fera quelque chose à raconter aux copains du bureau, lundi prochain.

Toronto, octobre 1991

À Son Altesse Royale,
          la Princesse Diana,

Je gagerais ma chemise, chère madame, que ce matin-là vous vous êtes éveillée sans stress et aux bons soins de vos dames de compagnie et de votre majordome. Moi, je n'ai pas vraiment pu dormir. Il a fallu que je parte de très, très, très bonne heure pour vous suivre lors de votre visite officielle au Canada.

Vous avez donc quitté votre somptueux hôtel de Kingston en direction d'Ottawa dans le confort d'un avion digne de votre rang. Mais moi, figurez-vous, les dirigeants de la station pour laquelle je travaille m'ont refusé ce privilège. Ils m'ont affirmé qu'une camion-nette ferait amplement l'affaire. Je ne vous dirai pas à quelle vitesse nous avons dû rouler depuis Toronto. Il y a des choses que même une journaliste ne souhaite pas dévoiler.

Je suis certaine qu'on vous a servi des mets de première classe durant le trajet. Mon collègue et moi n'avons guère eu le temps de manger, que dis-je, d'avaler autre chose qu'un hamburger pris en toute hâte au service à l'auto d'un minable restaurant de malbouffe. Alors je voulais simplement vous signifier que vous aviez transformé ma journée en un épisode de sainte horreur.

Annie

P.-S.: Si mon nom ne vous dit rien, vous vous souviendrez sûrement de moi comme de la journaliste qui s'est présentée devant vous couverte de taches de ketchup. Et de mon caméraman qui, visiblement, avait plutôt préféré garnir son hamburger de moutarde. (Désolée pour ce léger accroc aux convenances.

Confier un rêve

Pierre me salue, comme toujours, de façon joviale et attentionnée. S'il vient parfois faire un saut à Toronto pour des rencontres officielles, il s'occupe en fait d'une autre station de télévision située à Ottawa. Ce patron diffère de la plupart de ses homologues. Il est moins artificiel, plus terre à terre et, surtout, le stress ne l'empêche pas de savourer le moment présent. Le voilà qui, fidèle à son habitude, lance une blague quand on s'y attend le moins. Et le fou rire d'éclater dans notre salle des nouvelles. Parfois, je me demande comment un seul individu peut réussir à faire rire des dizaines de journalistes trop sérieux et croulant sous la pression du métier. Et cela, rien qu'avec quelques paroles agréables et bien choisies.

Il faut le voir rigoler de bon cœur en faisant fi de ce petit zézaiement qui l'aura caractérisé toute sa vie durant et dont il ne sera jamais parvenu à se débarrasser, pas même à la mi-quarantaine. Ajoutez à cela un petit ventre un peu rondelet et voilà le sympathique personnage dans toute sa simplicité physique. Mais au cœur de cet être se cache un océan d'intelligence et une chaleur humaine exceptionnelle.

En même temps, Pierre a l'instinct du loup toujours prêt à l'attaque, même quand la pression ou les trop courtes échéances deviennent étouffantes. La télévision est une véritable passion pour lui. Un infatigable ! Pierre possède également la qualité rare de percevoir le potentiel, même caché, des gens qu'il côtoie.

Voilà pourquoi c'est à lui et à personne d'autre que j'ose un jour confier mes véritables aspirations.

— Dis-moi Pierre, tu as une minute ?

— Pour une aussi jolie dame, toujours !

Cet homme a toujours non seulement le mot pour rire, mais aussi le sens de la pure gentillesse.

— J'aimerais te parler un peu de mon avenir. Oui enfin... de comment je le perçois.

— Vas-y, je t'écoute.

— À vrai dire, je ne veux pas demeurer simple journaliste toute ma vie.

— Ah bon ! Et qu'aimerais-tu faire d'autre au juste ?

Je plonge :

— J'aimerais tenter ma chance comme lectrice de nouvelles cet été !

Pierre me regarde avec un petit air amusé.

— Rien que ça, hein ?

— Quoi, tu penses que je n'en serais pas capable ?

Un léger moment silence me fait frissonner. Puis il me regarde en souriant cette fois à pleines dents.

— Au contraire, je crois que tu as tout ce qu'il faut pour le faire.

Puis il s'éloigne sans plus prononcer un seul mot. C'est bizarre : même si j'avais espéré quelque chose de plus (par exemple une promesse d'embauche immédiate pour le poste convoité) me voilà fière comme un paon. Un homme en qui j'ai toute confiance sur le plan professionnel, un homme intègre et dont les paroles valent pour moi de l'or vient de me donner espoir.

Du moins, jusqu'à ce que survienne un événement très malheureux...

Une vraie gifle

Comme tous les soirs de semaine, j'arrive chez moi à moitié crevée. Un jour, il faudra m'expliquer les raisons pour lesquelles, après avoir bossé toute la journée dans une salle de nouvelles, un journaliste aura toujours le réflexe de syntoniser le bulletin d'informations dès son retour à la maison. Je prends juste le temps d'enfiler mon vieux pyjama confortable et de réchauffer un reste de pâtes de la veille, avant de m'affaler lourdement sur le divan. Puis, mes doigts s'affolent et farfouillent entre les coussins. Voilà enfin la télécommande ! Un clic, et Bernard Derome apparaît sur l'écran fatigué de mon téléviseur dont la vétusté contraste avec cette magie des temps modernes.

Ai-je bien entendu ? Non, c'est impossible ! Derome vient d'annoncer en ondes la fermeture de CBFLT à Toronto. IL PARLE DE NOTRE PROPRE STATION DE TÉLÉ !

Dire qu'il y a quelques minutes à peine, nous étions encore tous là-bas à ne nous douter de rien. Et voilà que notre bande de journalistes, aguerrie et à l'affût de tout ce qui se passe dans la région, apprend sa mise à pied de la bouche même d'un confrère lors d'une annonce publique. Au moment d'en diffuser la nouvelle, la décision est non seulement définitive, mais déjà effective.

Le lendemain, alors que nous nous attendons à connaître la date officielle de fermeture, on nous informe que le travail effectué la veille s'inscrit dans le cadre de notre dernière journée de salaire. Quelle indélicatesse de la part des hauts dirigeants ! Des gens qui, bien qu'ils œuvrent dans le milieu des « communications », ne nous ont même pas donné la chance de faire nos adieux aux téléspectateurs.

À la sortie, une jeune journaliste affectée à cette nouvelle vient recueillir nos réactions. Comme elle doit se sentir mal d'avoir à exécuter cette tâche ingrate, elle qui en comprend les enjeux mieux que quiconque. Devrai-je lui répondre ? Bah, comme si je devais me gêner ! Après tout, je n'ai plus rien à perdre.

— Ça n'a aucun bon sens. La francophonie que l'on doit représenter se trouve justement à Toronto et non à Ottawa où s'effectue ce transfert. C'est une décision purement politique.

La caméra s'éteint. La jeune femme baisse son micro et me remercie de mes commentaires. Je l'ai trouvée charmante et surtout très à l'écoute. De belles qualités chez une journaliste. Je suis certaine qu'elle ira loin dans le métier. Mais quel est son nom déjà ? Ah oui… Céline Galipeau ! Qui sait, on se recroisera peut-être un jour ?

* * *

Quelques heures plus tard, j'apprends une autre nouvelle étonnante. Deux journalistes, un caméraman et un seul monteur devront rester en poste.

Je suis parmi les deux élus ! Pourquoi ? Je l'ignore. Ce que je sais, par contre, c'est à quel point il m'est pénible de penser que tous mes autres confrères et consœurs ont été renvoyés chez eux de manière si cavalière.

Un peu plus d'une semaine plus tard, je reviens donc dans la salle des nouvelles où mon collègue ne viendra me rejoindre que les vendredis. Imaginez la scène : toute seule dans une immense salle complètement désertée où fourmillaient encore, il y a quelques jours à peine, des dizaines de travailleurs.

Pour la première fois, j'entends les touches de mon clavier subir les assauts répétés de mes doigts, et le bruit de ma respiration qui résonne à travers ce silence devenu austère.

Heureusement, nous déménagerons prochainement dans un autre édifice de la ville.

Un moment de panique

Je viens à peine d'arriver à mon nouveau bureau que le téléphone sonne déjà.

— Bonjour Annie, c'est Pierre. Comment vas-tu ?

— Pas si mal et toi ?

— Oui ça va, je te remercie. Encore sous les impacts des nouveaux changements, mais ça se place.

Pierre ne s'étendra pas sur le sujet, mais je sais pertinemment que les récents événements l'ont profondément bouleversé.

— Dis donc, la lecture de nouvelles t'intéresse toujours ?

Est-ce la surprise ou bien la frousse qui me font bafouiller ? À moins que ce ne soit les deux !

— Euh… euh… oui. Je veux dire… si, si, bien sûr. Absolument !

— Dans ce cas, je t'offre un remplacement à Ottawa pour l'été. Tu devras toutefois loger à l'hôtel pour quelques semaines.

— Aucun problème.

— Parfait. On se revoit bientôt, alors !

Comme c'est amusant de penser que, pour une fois, je pourrai me munir de simples valises sans avoir à traîner toutes mes affaires dans une voiture encombrée. Le simple fait de retrouver une cafetière dans une chambre d'hôtel un peu terne semble un luxe. Enfin, la vraie vie !

Le grand jour arrive, celui pour lequel je me suis préparée toute ma vie. Pendant un instant, je me revois au sous-sol de mes parents en train de jouer à l'animatrice. Cette fois, contrairement aux tournages extérieurs où le vent vous ébouriffe les cheveux, je suis tirée à quatre épingles. J'ai même l'impression que le maquillage est nettement exagéré, mais on m'a assurée du contraire. Le régisseur de plateau regroupe ses ouailles.

— O.K., c'est beau. Tout le monde en place, le compte à rebours commence.

Je m'installe au bureau à toute vitesse. Je crois être vraiment heureuse.

— Dans dix secondes, neuf…

Mais tout à coup, quelque chose commence vraiment à aller de travers.

—Huit, sept…

Mon cœur se met à battre de manière vraiment erratique alors que mes mains deviennent complètement moites.

— Six…

Je n'ai plus aucun contrôle sur ma respiration qui s'emballe. Bon Dieu, j'hyperventile !

— Cinq…

La tête me tourne et je me sens très mal.

— Quatre…

Les gens de la régie doivent sûrement percevoir mon malaise et pressentir la catastrophe. Mais il est bien trop tard pour que quelqu'un puisse m'apporter un sac de papier dans lequel je pourrais recommencer à respirer normalement.

— Trois, deux…

La frayeur vient s'installer comme une belle-mère non invitée. Je perds tous mes moyens et je ne sais plus quoi dire ni où me pencher pour vomir.

— Un. À toi Annie !

C'est la panique totale. Pourtant je m'entends réciter :

> — Mesdames et messieurs, bonsoir et bienvenue à notre bulletin de nouvelles…

* * *

Cet épisode me restera à tout jamais en mémoire. Les plus expérimentés en ont ri, tant cela leur rappelait de lointains souvenirs.

— Tu as brisé la glace, le pire est fait maintenant.

Et moi, je les ai crus : j'ai cru que rien de pire ne pouvait effectivement m'arriver en direct, une fois cette étape d'initiation franchie.

Quelques jours plus tard pourtant, j'ai compris qu'ils avaient tort, quand j'ai dû contenir mon émotion en annonçant en direct le décès de Pierre. Il venait de succomber subitement à une crise cardiaque.

LA GUERRE DES MOTARDS

Au mauvais endroit au mauvais moment

9 août 1995

12 h 45

Rue Adam, tout près du boulevard Pie-IX, un présumé revendeur de drogue monte dans sa voiture. À quelques mètres de là, sous les traits d'un garçon de douze ans, une enfance insouciante va bientôt être cruellement fauchée. Le bambin ne se doute évidemment de rien. Comme tous les enfants de son âge, il s'amuse.

BOUM !

Un bruit assourdissant, laissant les témoins de la scène complètement désorientés…

Une seule seconde où tout bascule…

Il n'aura suffi que de ce demi-tour de clé dans le contact pour que l'explosion, fatale au conducteur, projette ses débris tout aussi mortels qui vont défoncer le crâne du jeune Daniel Desrochers. Quatre jours plus tard, la petite victime rend son dernier souffle.

Au Québec, la guerre des motards, qui a débuté un an auparavant, prend une toute nouvelle tournure. Résultat de ce drame, un troisième combattant vient de faire son entrée sur le ring : un public en colère. Cet adversaire inattendu, presque tombé des nues, est bien décidé à mettre K.O. ceux qui, depuis trop longtemps, font impunément régner leurs lois dans les rues de la ville. C'en est trop !

Pendant ce temps, je suis encore à Toronto, où cette nouvelle n'a pas l'impact que ressentent ceux qui vivent au cœur de la métropole. Il existe en effet une loi bien égoïste en journalisme : celle de la proximité. Le public accordera cent fois plus d'importance à la nouvelle banale qui se déroule tout près de chez lui qu'à un drame humain terrible, mais éloigné.

Cette triste loi se vérifie facilement. C'est en effet presque au quotidien que les médias rapportent les atrocités qui se déroulent partout dans le monde : massacres, coups d'État, révoltes, famines. Des images qui ne dérangent pourtant presque plus personne. C'est à peine si on y jette un œil distrait en concoctant le souper. Pourquoi personne ici ne s'émeut-il à la vue d'un enfant soudanais au ventre gonflé ? Dans toute ma carrière de journaliste, je ne me souviens pas d'avoir entendu un seul téléspectateur s'enquérir des raisons pour lesquelles l'abdomen d'un enfant en carence alimentaire pouvait gonfler à ce point. Je ne me rappelle même pas avoir entendu le mot KWASHIORKOR, le nom de cette forme de malnutrition déficiente en protéines provoquant justement cette infiltration massive de liquides sanguins dans l'estomac de ses victimes. Une maladie dont plus de *six millions d'enfants* meurent chaque année. Mais bon, c'est si loin tout ça, n'est-ce pas ?

En revanche, si un incendie fait rage au dépanneur du coin, le quartier tout entier se retrouve soudain sur un pied d'alerte. Il faut alors entendre les commentaires des badauds s'improvisant gérants d'estrade pour l'occasion :

— Un pyromane ! Ça ne peut être qu'un pyromane ! Et comme d'habitude les policiers ne feront rien.

— Non mais, regardez-moi un peu ces pompiers. Ils ont mis un temps fou à venir. Il faudrait faire enquête sur les services d'incendie.

— Pour qu'un commerce passe au feu en plein milieu de la nuit, c'est sûrement un règlement de comptes. Ces propriétaires devaient certainement avoir des liens avec des organisations criminelles.

On n'y peut rien. Ce n'est rien de plus qu'un autre paradoxe de la nature humaine. Et si l'événement malheureux impliquant le jeune Desrochers ne fait pas exception à cette règle, j'ignore encore que dans quelques mois, il aura un impact majeur sur ma carrière journalistique. Mais comment pourrais-je m'en douter ? Au moment de ce drame, j'ignore encore tout de mon retour prochain au Québec.

Notre histoire débute toujours par celle de quelqu'un d'autre.

— Simona Plopeanu
Journaliste roumaine

Rupture amoureuse

Été 1997

— Je suis désolé. C'est terminé.

Des mots qui blessent, dont personne n'est à l'abri, mais qui vous atteignent au cœur comme une flèche. La fin d'une histoire d'amour, ça arrive à tout le monde. Mais quand on la vit loin de ses racines, on dirait que plus rien ne vous retient dans votre lieu d'accueil. Quelque part, il devient même l'ennemi à fuir.

Alors je décide, comme ça, sans doute motivée par un brin d'orgueil et de fierté, de tout laisser derrière pour repartir à zéro. En toute franchise, les quelques hommes que j'ai discrètement aimés ont été eux aussi journalistes et les exigences du métier nous ont souvent séparés. Est-il étonnant qu'aujourd'hui, je me serve de ce même métier pour fuir ma peine ?

On aura beau vouloir trouver toutes les raisons pour expliquer un départ, la vérité c'est qu'un coup de tête ne peut résulter que d'un bleu au cœur.

Dire que je m'étais pourtant juré cent fois ne plus jamais partager ma vie avec un journaliste. Mais n'avais-je pas également affirmé ne jamais vouloir de chat ? Pourtant, je viens bien d'aller me chercher une petite boule de poils, histoire de ne pas partir seule.

Je voudrais pouvoir t'oublier, mais seule la mort offre l'oubli, la vie n'a pas cette indulgence.

Anonyme

Direction Québec

Me voici à nouveau derrière le volant, en direction d'une ville où m'attend un travail surnuméraire sans avantages sociaux et, une fois de plus, je ne sais même pas où je passerai la nuit. La présence de Pantoufle risque d'ailleurs de compliquer la situation puisque la plupart des hôtels refusent les animaux. Il faut voir cette pauvre bête haleter de chaleur au fond de la voiture, là où bizarrement le vent d'une décapotable ne se rend tout simplement pas. De temps à autre, je mouille mes doigts dans l'eau de la glacière pour la lui passer sur le corps. Mais comme cela ne parvient pas à la soulager très longtemps, je finis par déposer un chandail sur un bloc de glace placé à l'intérieur afin qu'elle puisse s'y blottir et trouver un peu de fraîcheur.

— Oh, Pantoufle ! Tu dois bien te demander dans quoi je t'embarque, hein ? À vrai dire, je n'en ai pas la moindre idée moi non plus.

Tout ce que je sais, c'est qu'après sept années passées à Toronto, cet accent francophone que j'entendais quotidiennement au sein d'une confrérie isolée, je désire maintenant que ce soit une ville tout entière qui me la susurre à l'oreille. Me voici enfin dans l'un de ses parcs municipaux, en pleine canicule. Pantoufle s'amuse à se rouler dans l'herbe malgré la laisse qui la retient au banc de parc sur lequel je consulte la section des appartements à louer.

— Hey ! La petite, t'aurais pas une cigarette ?

Ce clochard veut rire ? Je suis tout aussi sans-abri que lui ! La seule chose qui nous distingue pour l'instant, c'est sa drôle de charrette qui contient tous ses avoirs tandis que les miens s'entassent dans ma voiture. Ah... et que contrairement à lui, la cigarette me répugne ! Mais je demeure gentille parce qu'au train où vont les choses, il risque de devenir mon voisin pour la nuit.

— Non, désolée. Mais bonne journée quand même !

Hum… cet épisode de relations de bon voisinage me porte tout de même à réfléchir. Peut-être serait-il préférable de surmonter un peu mon orgueil et de téléphoner à cette tante que je n'ai pas vue depuis longtemps, mais qui demeure dans le coin.

— Je te jure ma tante, ce sera seulement pour deux ou trois jours.

Comme si les Gagnon allaient accepter qu'une des leurs quitte le bercail sans lui venir en aide. Mon séjour se prolonge donc de deux semaines, au bout desquelles j'emménage dans un magnifique appartement orné d'un foyer en pierres. Et tout ça au faible coût mensuel de cinq cents dollars — la moitié de ce que j'aurais déboursé à Toronto pour me loger de façon équivalente.

À qui ai-je l'honneur ?

À travers tout ce bouleversement, je dois m'acclimater à mon boulot et apprendre à connaître mes nouveaux collègues. Pas facile puisque plusieurs assignations nous envoient à l'extérieur, chacun de son côté. De plus, ma connaissance des émissions produites au Québec laisse un peu à désirer. Ces dernières années, je suis évidemment plus familière avec celles de l'Ontario. Heureusement, une invitation arrive à point :

> — Cette année, le lancement de la nouvelle programmation aura lieu lors d'une croisière sur le fleuve, m'annonce un de mes patrons. Ce sera une excellente occasion pour toi de rencontrer tout le reste de l'équipe.

Un très chouette événement en effet, à la fois mondain et décontracté. J'entends bien faire les premiers pas auprès de plusieurs personnes dont l'identité m'échappe encore, afin d'en mémoriser les noms le plus rapidement possible. Dans le monde journalistique, il est coutume de se tutoyer très rapidement et de connaître à la fois le prénom et le surnom de chaque camarade. Ces sobriquets découlent souvent d'une anecdote survenue dans le cadre du travail, ou caractérisent notre style journalistique. Je me réjouis à l'idée que celui que l'on m'avait autrefois assigné, Germaine (celle qui gère et qui mène), soit inconnu des membres de cette nouvelle salle de rédaction. J'espère cette fois en obtenir un plus flatteur…

Mon opération charme débute ! Me voici serrant des mains et entretenant des conversations maniérées tout en dégustant des crevettes de la taille d'un bifteck. On me présente aux hauts dirigeants de la station dont je n'ai encore jamais vu les visages. J'approche également de façon polie et professionnelle les individus qui demeurent un peu en retrait.

> — Bonsoir, je m'appelle Annie Gagnon et je suis la nouvelle journaliste. Puis-je savoir à qui j'ai l'honneur ?

La formule semble porter ses fruits. Je fais la rencontre d'un tas de gens agréables et fort intéressants. Il faut dire que les sujets de conversations ne manquent généralement pas dans ce genre de rencontres. Malheureusement, les commérages non plus. Voilà l'un des côtés sombres de ce milieu trop compétitif, où ternir l'image de l'autre équivaut pour certains à redorer la leur. Comme je suis novice dans ce groupe et que je n'ai nulle envie de m'attirer des ennemis, je m'éclipse un peu lorsque la conversation s'oriente en ce sens. J'aurai bien le temps de juger des caractères des gens par moi-même.

Je profite justement d'une de ces pauses pour m'approcher d'un grand blond, à la carrure solide et qui sirote un verre tout en admirant le fleuve. Il a au fond des yeux quelque chose d'un peu mystérieux, voire nostalgique. Je répète ma phrase fétiche de la soirée un peu à la manière d'un perroquet :

— Bonsoir. Je me présente, Annie Gagnon, la nouvelle journaliste. Puis-je savoir qui vous êtes ?

Je lui tends la main qu'il ne finit par serrer qu'après un moment d'hésitation et manifestement à contrecœur. En ne le reconnaissant pas, je viens d'insulter un journaliste connu : Gaétan Girouard[9]. Je suis alors à des années-lumière de me douter du destin tragique qui attend cet homme élégant et au regard difficile à saisir ; celui d'un être que la bousculade d'émotions et du souci de perfectionnisme entraînera un jour au fin fond de l'abysse.

J'ignore surtout qu'un jour, je serai à la barre de cette même émission qu'il anime actuellement avec tellement de fierté.

---

[9] Gaétan Girouard était journaliste et a animé l'émission J.E., à TVA, de 1997 à 1999. Il s'est suicidé le 14 janvier de cette même année. Son décès provoqua une grande vague d'émoi au Québec.

Elle a du chien, cette petite.

À la suite du décès, deux ans et demi auparavant, du jeune Daniel Desrochers, la guerre des motards avait suscité une grande attention médiatique. Devant la grogne populaire, les autorités policières avaient réagi rapidement et annoncé à peine un mois plus tard la naissance de CARCAJOU, un groupe d'élite composé d'enquêteurs de la GRC, de la SQ et des corps policiers municipaux. Les activités des motards ne pouvaient dorénavant plus passer inaperçues. Les journalistes observaient scrupuleusement leurs moindres gestes. Le Québec tout entier réagissait également avec émoi à la croisade entreprise par Josée-Anne Desrochers, la mère du garçon, qui exigeait maintenant du gouvernement l'adoption d'une loi antigang. Selon elle, il fallait impérativement mettre fin au règne de ces criminels. La population la soutenait et décriait l'occupation de certains territoires par ces mêmes groupes.

Nous voilà en janvier 1997 et la région de Québec ne fait pas exception à la règle, puisque les motards y ont établi deux repaires, communément appelés *bunkers*. Un premier, situé à Saint-Nicolas, affiche clairement les couleurs des Hell's Angels : blanc et rouge. Ce bâtiment aux structures renforcées contient une aile aux allures d'une forteresse. Mais celui nouvellement inauguré dans la Capitale même étale des airs plus modestes. Une habitation grise qui, n'eût été le va-et-vient de voyous qui la caractérisait, aurait pu aisément se fondre au décor de son quartier résidentiel.

— Annie, tu vas aller voir ce qui se passe du côté de ce bunker, m'annonce mon patron.

— D'accord, mais pour y chercher quoi au juste ?

— Tout ce qui est trouvable !

En gros, cela signifie partir à la pêche pour capturer n'importe quel poisson. Assister à une bagarre, constater la présence sur place de bandits notoires, observer si des certains criminels, en attente de procès, briseraient leurs conditions de libération en s'approchant de membres de gangs, etc. Avec un peu de chance, on reviendra avec les images d'un évadé activement recherché du milieu policier ! Je ne peux m'empêcher de penser au scoop formidable que ce serait ! Mais si l'on espère le meilleur, il faut surtout se préparer au pire : devoir se contenter de recueillir les réactions du voisinage à cette présence indésirable. Je suis très consciente qu'au final, c'est le dénouement le plus probable de notre expédition.

— T'es prête, Annie ? me demande le caméraman.

— Oui, oui. Mais bon Dieu, il fait un froid de canard aujourd'hui !

— Raison de plus pour faire cela rapidement. Si tu veux bien, on va commencer par prendre des images du bâtiment à partir de la rue. Tu pourrais commencer par expliquer aux téléspectateurs où nous sommes.

Mon camarade met alors en marche la lourde caméra qu'il porte à l'épaule. Il règle l'objectif pour faire un gros plan sur la maison... dont les occupants ne voient pas les choses du même œil. Nous remarquons bien vite la présence d'un gros et grand gaillard sur le balcon du deuxième étage. Le stéréotype même d'un membre de gang : tee-shirt sombre, barbe noire, tatoué de partout, bâti comme une armoire à glace et, disons... légèrement réservé en ce qui concerne le sourire.

Il me crie d'arrêter. Évidemment, je continue.

Le colosse s'approche de nous. Comment fait-il pour ne pas frissonner dans un froid si glacial, avec ses manches courtes ? Il faut dire qu'une couche adipeuse de deux pouces, rien qu'au niveau des bras, et qui recouvre une masse musculaire proportionnelle, ça isole un homme. Je devine qu'il est un peu moins frileux que moi.

Encore à distance respectable, le voilà qui se met à crier :

— Heille ! Allez-vous-en d'icitte. Vous avez pas le droit de filmer c'te maison-là.

Bien sûr, quelques joyeux jurons accompagnent sa demande. Ce gars-là m'énerve. S'il pense qu'il va brimer mon droit de filmer alors qu'on se trouve dans un endroit public, il se trompe. Et si lui n'a pas froid, moi je grelotte, alors je n'ai pas de temps à perdre à lui faire entendre raison. Je me contente de lui mentionner qu'au contraire, il est tout à fait légal de filmer de là où nous nous trouvons. Légal. Comme si la légalité signifiait quelque chose dans l'existence d'un motard lié au monde criminel. Non mais, suis-je bête !

Le voilà maintenant à deux pas de nous. Je dois relever le menton si je veux le regarder dans les yeux. Mais là, ça se gâte. Vertement offusquée par ma réponse et notre présence, cette ignoble crapule bloque d'abord la caméra avec sa main puis se met à bousculer physiquement le caméraman. Alors là non ! ON NE TOUCHE PAS À MON CAMÉRAMAN ! Il faut comprendre qu'il doit garder l'œil dans son objectif, au détriment d'une vision périphérique normale. Dans mon code à moi, frapper un caméraman équivaut alors à un geste tout aussi lâche que celui de frapper un myope dont les lunettes seraient tombées au sol.

— Heille, ça suffit !

Je lance cette phrase du plus fort de mes poumons, mais surtout en me plaçant entre les deux hommes. Comme ce vaurien cherche toujours à bousculer mon compagnon, il ne me reste plus qu'une chose à faire : le pousser. Amusant que, même avec toute la force de mes deux bras contre son poitrail, le colosse ne bronche même pas d'un poil. Il faut dire qu'à la hauteur de mes cinq pieds cinq pouces et mes cent dix livres (mouillée), j'ai peu de chance de faire tomber ce Goliath qui, lui, doit friser les deux cent soixante livres à sec. Je crois que je viens de comprendre l'expression « frapper un mur ». Qu'à cela ne tienne ! Je suis tellement en furie qu'il est clair dans ma tête qu'il ne s'en tirera pas comme ça.

— Hé! Oh! C'est moi la journaliste. Si t'as quelque chose à dire, c'est à moi que tu parles. Compris?

Bizarrement, il finit par retourner sur ses pas sans plus nous causer de problèmes. Quelques instants plus tard, une voiture de police arrive sur les lieux avec sirène et gyrophares.

— Est-ce que ça va, madame Gagnon? me demande le patrouilleur.

— Oui, ça va, merci. Mais dites donc, comment se fait-il que vous soyez arrivé si rapidement?

— Ce sont des voisins qui vous ont reconnue et qui ont téléphoné. Ils vous croyaient en danger.

Je n'ai pas le temps de me demander si ces bons Samaritains ont eu tort ou raison. La seule idée qui me dérange, c'est de revenir au bureau complètement bredouille. Qu'est-ce que je vais pouvoir dire au patron? À peine revenue à ma table de travail, je le vois apparaître.

— Alors? Quelque chose d'intéressant?

J'ai honte de devoir lui avouer la vérité, mais je n'ai pas le choix.

— Pas vraiment, non. On a eu une altercation avec un motard, alors on n'a rien pu faire.

Son regard me fixe.

— Comment ça, une altercation? Est-ce que le caméraman est blessé?

— Non, non. C'est pas lui qui s'est chamaillé. C'est moi...

— Attends! Es-tu en train de me dire que c'est toi qui t'es bataillée?

Je panique! Le patron croit peut-être que cet homme va porter plainte et poursuivre la station pour des milliers de dollars.

— Viens avec moi, on va regarder ça ensemble.

Revoir la scène me semble un peu irréel. Mais j'appréhende surtout les réprimandes de mon supérieur. Il arrête la projection et me regarde.

— Mais c'est très bon!

— Quoi?

Je n'en crois pas mes oreilles.

— On passe ça au prochain bulletin. Tu sais que tu as du chien, la petite?

Du chien? Du courage? Pas vraiment! Pas si je me compare à Josée-Anne Desrochers, en tout cas. Et pas si je me compare non plus aux habitants de Saint-Nicolas qui, à peine deux mois plus tard, ont décidé de marcher dans la rue pour protester contre la présence du bunker au sein de leur communauté. Ils réagissaient ainsi à la déflagration d'un engin explosif de 22 kg qui a violemment secoué leur quartier. Ces gens-là ont eu le courage de réagir devant une adversité qui leur empoisonnait la vie[10]. Moi, j'ai seulement fait mon travail.

[10] En huit ans, la guerre des motards aura fait au total plus de 100 morts (dont 9 innocents), 9 disparus, 181 tentatives de meurtre et 84 incendies criminels.

Des obsèques bien différentes

Encore une fois, ma profession m'aura amenée à couvrir des funérailles, mais fort différentes de celles que j'avais fini par apprivoiser.
Les funérailles d'un motard, ça se déploie en un vrai cirque où règne
une fausse trêve entre les forces de l'ordre et le milieu criminel. Pro-
fitant de ce rassemblement, la police effectue un travail d'enquête
pour rafraîchir sa banque de photos de suspects d'intérêt et vérifier les numéros de plaques des voitures. De leur côté, les motards
les narguent et cherchent à les intimider en faisant vrombir leurs
moteurs et en les foudroyant du regard, tout en se gardant bien de
montrer le reste de leur visage masqué d'un foulard.

Quelle scène irréelle ! Difficile, je l'avoue, de ressentir le moindre
respect pour le défunt, tandis que ses camarades se pavanent devant
le corbillard. On dirait que la mort d'un des leurs devient prétexte
à réaffirmer une suprématie menaçante et anonyme. On est bien
loin, ici, des adieux sobres réservés aux jeunes victimes inoffen-
sives tombées sous les mains d'un monstre et à qui on porte égard
et considération.

Ne sommes-nous pas censés être tous égaux devant la mort ? C'est
en tout cas ce qu'on nous a toujours martelé dans le crâne depuis
la petite enfance, à grands coups de valeurs chrétiennes. Sommes-
nous de mauvais chrétiens si une pensée contraire ose nous effleurer
l'esprit ? Et si nous étions tout simplement mieux informés ?

Certains me blâmeront d'exprimer ici un point de vue médiatique
sur les sentiments que suscite une chose aussi sensible que la mort.
Et pourtant, quand on y repense, cela prend tout son sens. Il y a
100 ans à peine, la mort comportait déjà une image « médiatique »,
mais qui se résumait souvent à une simple revue nécrologique locale,
parfois accompagnée d'une photo en noir et blanc. Et tous, à part
les grands hommes de l'histoire bien sûr, de se retrouver égaux à
l'ombre des saules pleureurs ornant les cimetières. N'était-il pas

plus facile alors au commun des mortels d'éprouver un sentiment d'équité et de respect devant la Grande Faucheuse ?

Mais à l'ère technologique où nous vivons, et qui donne une meilleure vue d'ensemble sur les événements entourant la vie ou le décès de certains individus, la vérité ne possède plus le loisir de s'esquiver sous un simple linceul. Et comme, lorsqu'on assiste aux funérailles d'un homme autrefois connu des médias, ce sont ses propres tranches de vie (bonnes ou mauvaises) que l'on repassera en rafales au petit écran, elles détermineront souvent le sentiment éprouvé envers sa mort. Ce regard médiatique permet de voir les choses différemment, et parfois de montrer que l'on meurt souvent à l'image de sa propre vie. Au public, alors, de prendre sa décision : celle de pleurer un ange ou de maudire un lâche.

— Pas question d'avoir peur devant ces bandits !

Une promesse que je me surprends à marmonner tandis que ce même sentiment d'oppression m'envahit. Car les regards menaçants ne sont pas dirigés seulement vers les policiers, mais aussi envers les journalistes. Mon serment devient donc celui que plusieurs de mes confrères devront prêter un jour, car obéir à la peur nous empêcherait souvent de faire éclater la vérité. Et Dieu sait à quel point cette promesse sera bientôt mise à l'épreuve puisqu'on vient de m'offrir, après exactement un an et un jour passés dans la belle ville de Québec, un poste de journaliste à Montréal pour la salle des nouvelles de TVA.

Le courage n'est pas l'absence de peur, mais plutôt le jugement qu'autre chose est plus important que la peur.

— Meg Cabot

31 août 1997

À Son Altesse la Princesse Diana

Nous nous souviendrons tous où nous étions aujourd'hui. Moi, je me trouvais dans un bar au moment d'apprendre la terrible nouvelle.

Je n'ai pu m'empêcher de penser à la différence entre les journalistes d'ici et les paparazzi de votre pays qui détiennent une part flagrante de responsabilité quant à votre départ bien trop hâtif. Cette poursuite effrénée n'avait nullement lieu d'être. Ils viennent ainsi de priver le monde d'une véritable étoile, alors que leur but n'était d'en faire une de vous que sur de vulgaires photos.

Ce photojournalisme est à mon sens une véritable aberration, motivée uniquement par des cachets bien trop alléchants et déraisonnables.

Mais comme il est paradoxal de penser qu'il y a six ans, c'était au contraire un manque de budget qui fit en sorte que mon collègue et moi avons presque fait la course sur la route pour ne rien manquer de votre visite. Aujourd'hui, avec un peu plus de maturité, je me rends compte que ni l'une ni l'autre de ces courses folles n'était acceptable.

Annie

Mon âme sœur

Automne 1998

— Un party pour célibataires ? Non mais, tu veux rire, j'espère ?
Et je te gage qu'ils seront tous journalistes en plus. Non merci,
j'ai déjà donné !

Ma collègue et amie Lina ne l'entend pourtant pas de cette manière
et veut m'y traîner.

— Oh ! Allez ! T'as mieux à faire, je suppose ?

Là, elle marque un point.

— Lina, je te déteste.

— Oui, oui, bon, va t'habiller pour plaire ! On ne sait jamais.

D'accord ! Une paire de jeans assez sexy, des bottes en suède pour
se la jouer cool et un chandail juste assez révélateur, parce que les
hommes adorent imaginer les formes qu'il épouse.

C'est ce soir-là que je rencontre Michel pour la première fois. J'ai
tout d'abord pensé qu'il était journaliste à cause de ses petites lunettes rondes qui lui conféraient un style à la Clark Kent (*Super-
man*). En lui parlant, j'ai cependant découvert que sa vie à lui ne se
déroulait pas dans une salle de rédaction. Après avoir discuté un
peu, il m'a laissé son numéro de téléphone en espérant mon coup de
fil un de ces jours. Et la soirée s'est terminée sur le simple souvenir
d'une rencontre agréable.

— Alors ? me demande Lina. Ça s'est passé comment ta conversation avec lui ?

— Bien, ça me rassure qu'il ne soit pas dans notre domaine. J'ai pu éviter les sujets du métier. Disons que j'ai plutôt joué la carte du charme et qu'il m'a assurément trouvé mignonne. Je pense qu'il a surtout apprécié mon style vestimentaire. Il a l'air d'un homme qui sait apprécier la beauté dans la simplicité.

Au même moment, discussion entre Michel et l'ami qui l'avait également traîné à cette fête :

— Alors Michel, tu l'as trouvée comment cette fille ?

— Non mais, t'as vu son accoutrement ? Il ne lui manquait qu'une chemise à carreaux pour lui donner l'allure d'une bûcheronne. Elle n'était certainement pas là pour séduire. Heureusement que j'ai su qu'elle était journaliste et que j'ai été attiré par son côté intello, sinon elle n'aurait eu aucune chance avec moi, tu sais…

L'AVALANCHE DE KANGIQSUALUJJUAQ

Un départ impromptu

1er janvier 1999

Il n'aura suffi que de trois mois pour que le nouvel amoureux comprenne les réalités de mon métier. Au lendemain du réveillon du Nouvel An, nous voilà endormis et encore un peu grisés lorsque mon téléavertisseur retentit.

— Mais qu'est-ce qu'ils te veulent ? Tu es pourtant en vacances non ?

Celle-là, elle est bien bonne ! Il croit encore que l'expression « en vacances » signifie « non disponible ». Un tout vert ! En même temps, une partie de moi admire cette innocence qui, je l'avoue, saurait agrémenter mon existence. Je saute sur le téléphone pour joindre le bureau.

— Annie, il faut que tu ailles à Kangiqsualujjuaq, m'indique le responsable des affectations.

— Quoi ? Où ?

— À Kangiqsualujjuaq. C'est dans la baie d'Ungava.

— Pourquoi ? Qu'est-ce qui se passe au juste ?

— Une avalanche ! Des tas de gens qui se trouvaient à l'intérieur d'une école sont présentement ensevelis sous la neige.

— O.K.

— Ton avion part de l'aéroport de Saint-Hubert dans une heure.

Dans une heure ? Seigneur ! J'ai à peine le temps d'entasser le strict nécessaire dans une valise et de mettre le soupirant à la porte.

— Je dois partir. Désolée, mais il faut que tu t'habilles et que tu partes en vitesse.

Quelle façon abrupte de sortir un amoureux du lit ! Et si cet incident risquait de compromettre notre début de relation pourtant prometteur ? Après tout, Michel pourrait bien croire que je ne considère pas encore notre idylle suffisamment solide pour lui laisser les clés de mon appartement. Ou bien que mon boulot devra systématiquement passer avant lui. Que mon indépendance sera sans doute incompatible avec les attentes d'un homme trop fier.

À vrai dire, mieux vaut qu'il soit au courant de tout cela dès maintenant. Je considère cette occasion comme un test. L'échouera-t-il ? N'ai-je pas moi-même perdu l'amour à quelques reprises, justement parce que mes conjoints pratiquaient ce même métier ? Alors advienne que pourra ! Pour l'instant, je n'ai nullement le temps de m'attarder à ce genre de questionnement. Je dois simplement partir et faire vite.

— Taxi !

Il est clair que la voiture qui me mène à l'aéroport a transporté des fêtards toute la nuit. L'habitacle exhale une odeur d'alcool à peine masquée par celle d'un pulvérisateur bon marché. On devine facilement que certains passagers y ont tout récemment régurgité leurs excès de bonne chère et de vin. De plus, la conduite lente et inégale du chauffeur indique qu'il combat le sommeil. Je crains d'arriver en retard. Une fois à destination, j'ai à peine le temps de payer que je me dois mettre à courir. Je constate rapidement que d'autres journalistes sont dans la même situation et qu'ils se dirigent tous en direction de l'appareil. Je m'arrête d'un coup et une réflexion m'échappe malgré moi.

— Non mais, qu'est ce que c'est que cette boîte de conserve ?

Ça, un avion ? Un engin de la Deuxième Guerre, oui ! J'avais presque oublié que tous les avions n'étaient pas munis de sièges confortables, d'agents de bord sympathiques et de petits canapés sertis d'une olive. Je n'ai encore jamais voyagé dans ce genre de coucou, encore moins vers des zones isolées ou de catastrophe. Histoire de partager les frais, les grands médias ont nolisé l'appareil pour plusieurs journalistes de différentes organisations. Quelques membres de la Sécurité publique appelés à se rendre urgemment sur les lieux viennent se joindre à notre groupe de voyageurs. Je pénètre donc à l'intérieur de ce modèle Dash-8, que je considère comme bien trop petit. Est-ce le poids trop élevé qui le fait brasser de la sorte ? Je n'aime déjà pas le décollage, mais encore moins le vol.

— J'ai vraiment hâte d'arriver, dis-je à un collègue pour me changer un peu les idées.

— Ça va être long, répond-il. J'espère que l'autre avion sera à l'heure.

— Quoi ? Quel autre avion ?

Personne ne m'avait prévenue d'une escale. L'appareil se pose donc à Kuujjuaq pour faire le plein avant de repartir vers une autre destination. Tel qu'on le craignait, notre second avion tarde à arriver. Il est temps d'un premier reportage téléphonique. Pourtant, je n'ai pas grand-chose à dire, à part les grandes lignes : qu'un groupe de personnes festoyaient à l'occasion du Nouvel An lorsque le drame est survenu. Que les informations sont pour l'instant très fragmentaires et qu'on ignore toujours le nombre de victimes décédées ou blessées. Enfin, que je suis en route vers les lieux de la tragédie pour informer les téléspectateurs des prochains dénouements de la situation le plus tôt possible. Bref, du pur remplissage de temps d'antenne, car nous n'avons pas encore la moindre idée de ce qui se passe réellement. Je me garderai bien, pourtant, de leur communiquer quelques autres faits que je ne tarderai pas à apprendre...

Un départ, ça ressemble toujours à une désertion.

— Berthe Hamelin-Rousseau

La rencontre de deux solitudes

— Dépêche-toi, le deuxième avion est enfin arrivé, me lance le caméraman tandis que je suis sur le point de m'assoupir.

Horreur ! En comparaison avec celui-ci, le premier appareil ressemblait à un véritable Boeing où nous aurions été en classe Affaires. Et c'est cette carcasse jaune, ce tas de rouille ambulant, qui nous servira de second moyen de transport ? Vraiment ?

Je ne me sens pas du tout en sécurité, mais je n'ai strictement pas le choix. On s'entasse à l'intérieur à la manière de sardines dans une boîte de conserve. Pour ma part, je suis carrément assise contre les bagages empilés les uns sur les autres. Quelques camarades dénichent un coin par terre. D'autres, plus chanceux, bénéficient d'une place sur ce qui ressemble à peine à un banc de fortune éventré par l'usure. Le fait d'être si entassés comporte au moins un avantage non négligeable ; n'eut été cette chaleur humaine, nous gèlerions probablement. On grelotte déjà alors que l'avion n'a même pas quitté le sol. Bon sang ! Mais qu'est-ce que ce sera en vol ? Une question dont je ne tarderai pas à connaître la réponse.

— Ça brasse en ti-pépère, hein ? plaisante un autre journaliste.

Il esquisse un petit sourire, sans doute dans le but de me calmer un peu et sûrement aussi parce qu'il cumule une certaine expérience dans ce genre de déplacement. Il est vrai que je suis entourée de gens très expérimentés. Je reconnais d'emblée le photographe Breault du Journal La Presse, un professionnel reconnu dans le métier pour ses clichés exceptionnels. D'ailleurs, le voilà déjà en train de nous croquer sur le vif. Je prie pour que ses photos soient en noir et blanc, sans quoi il viendrait d'immortaliser à tout jamais cette nausée persistante que trahit mon teint verdâtre.

Mon caméraman a remarqué mon malaise. En bon partenaire, il se contente de garder un œil sur moi en s'abstenant de tout commentaire. Je sais qu'il reste aux aguets, mais mon orgueil me retient bien d'y faire allusion. Heureusement qu'il a l'habitude de travailler avec des egos de télé parfois un peu démesurés. Chose certaine, mon ego à moi se fait brasser tout le long du voyage, à un point tel que je crains d'en vomir. Tiens, je compatis un peu avec tous ces fêtards qui avaient laissé une part de leur estomac dans le taxi il y a quelques heures à peine. La seule différence, c'est qu'eux doivent être en train de roupiller un bon coup. Je ferme les yeux et je respire profondément afin de supporter ce voyage qui me semble à la fois infernal et interminable.

Finalement, ce n'est pas à travers un micro mais par un simple cri que le pilote nous prévient de l'atterrissage. Je me réjouis à l'idée de sortir prendre enfin une bouffée d'air frais. Je ne me doute évidemment pas que cet air hiémal est de nature à vous figer le visage et à vous glacer les poumons. Chaque inspiration a l'effet d'une lame de rasoir qui écorche le larynx au passage. Une morsure vive. Un froid d'une intensité que j'ai rarement vécue, même aux tréfonds de mon Témiscamingue natal.

— Couvre ta bouche avec ta main, me conseille une consœur.

Je veux bien, mais le calvaire n'épargne pas les jointures de mes doigts. Je me rends rapidement compte que mes vêtements, quoique d'hiver, ne suffiront pas à la tâche. Je me mets alors à courir vers cet édifice en briques servant à la fois de tour de contrôle et d'aire de transit aux passagers. Le bâtiment donne plutôt l'impression d'un vieux hangar grisâtre et déserté que d'un lieu d'accueil. Je profite toutefois de cette trêve, brève mais fort appréciée, pour doubler l'épaisseur de mes habits, sans quoi je ne ferai vraiment pas long feu dans ces rudes conditions. Dire que ce matin encore, je me trouvais à la chaleur du corps d'un homme que je n'ai pourtant pas hésité à mettre au défi de me quitter si ma carrière lui semblait trop accaparante ! Pour la première fois, cet homme me manque…

— Votre camionnette est arrivée, nous avertit l'un des employés de l'aéroport.

Je note le regard contrarié de cet homme inuit, visiblement agacé par notre présence. En montant dans la vieille fourgonnette, je remarque également celui, du même acabit, du chauffeur.

— Excusez-moi, monsieur, dans combien de temps serons-nous là ?

— Dans 20 minutes, répond-il sans plus de convenances.

Quoique laconique, son langage n'est pas irrespectueux. Mais je peux lire plusieurs choses sur son visage. D'abord, que sa peau dure et cuivrée s'est souvent repliée sous les assauts des rayons de soleil trop ardents, reflétés sur la neige, et du vent glacial. Je perçois également que sa culture diffère de la mienne en sa façon de s'exprimer. Disons que, contrairement à nous, les Inuits ne se montrent pas friands de bavardage. Ils détiennent dans leurs gènes cette forme de retenue noble, symbole de discrétion et de respect. Une sorte de sagesse durement acquise visant à réprimer la colère. La grâce étrange de ce peuple réside dans ce silence qui les honore. Mais aujourd'hui, je ressens que derrière cette marque de respect culturel se cachent plusieurs admonestations à notre endroit, dont celle d'envahir brusquement leur intimité en temps de crise. Un reproche qui ne peut d'ailleurs que s'ajouter à une longue liste d'indignations à l'égard des aberrations historiques dont ils ont fait les frais. Des réprimandes à simples coups de prunelles, provenant d'une ethnie écrasée mais ayant toujours refusé de courber l'échine, ou de tomber dans la bassesse des insultes. Un peuple dont j'allais bientôt découvrir avec étonnement le courage et la grande persévérance.

Seul le bruit des motoneiges vient rompre ce silence volontaire. Plusieurs nous dépassent en vitesse, car elles glissent bien plus aisément que notre véhicule sur ces sentiers enneigés et difficilement praticables.

L'amitié entre deux personnes dépend de la patience de chacun.

— Proverbe amérindien

Triste spectacle

Nous voici enfin sur les lieux. Somme toute, nous ne représentons encore qu'une infime partie du groupe de journalistes qui envahira bientôt l'endroit. Les téléspectateurs croient souvent à tort que les envoyés spéciaux sont logés dans les plus grands hôtels. Ils pensent rarement que notre santé ou même parfois notre survie puisse être en jeu. En ce moment même, je m'inquiète à l'idée de ne pas savoir où nous serons hébergés ce soir-là. L'endroit est dépourvu de toutes commodités touristiques. Pas d'hôtel, de motel, ni même de simples maisons de chambres. J'envie presque nos bagages qui, eux, restent à l'abri pour la journée au fond d'une camionnette. Espérons que nous puissions nous aussi bénéficier d'un toit sur la tête cette nuit. Rien n'est moins sûr !

Voilà précisément où les réflexes des journalistes de terrain entrent en jeu. C'est fou comme se retrouver en pleine action estompe la peur. Quel autre voyageur ne serait carrément paralysé à l'idée de s'exposer au froid intense, et sans pouvoir compter sur le moindre abri ? Pas même une tente ! Mais cette flamme qui nous anime attise une confiance inexplicable et surtout remet en perspective les véritables priorités. Or, pour ceux en plein cœur du drame dont nous devons rapporter les gestes, une seule chose prime : tenter de retrouver quelques survivants. À côté de leurs efforts, notre inquiétude quant à l'existence d'un endroit où nous loger paraît bien insignifiante. Nous, au moins, n'avons pas à affronter l'horreur d'être ensevelis. C'est du moins ce dont nous prenons conscience, le caméraman et moi, lorsque nous nous éloignons un peu pour filmer la scène en hauteur.

— Seigneur ! Regarde ça, Annie.

Une image irréelle s'offre à nous ; une école à flanc de montagne, complètement engloutie par l'avalanche. Comble de malheur, la neige avait aussi fait éclater les fenêtres, livrant l'intérieur du bâtiment à la morsure des vents froids et secs. À la tombée de la nuit, une dizaine d'hommes (autant d'âmes que cet odieux amas de neige puisse contenir sans trop de risques) s'affairent encore à pelleter sous l'éclairage de projecteurs installés d'urgence. Ils creusent à toute hâte, avec l'énergie du désespoir. Quand la fatigue vient finalement à bout de leurs muscles endoloris par l'effort, ils cèdent la pelle à un autre bénévole anxieux de prendre la relève avec tout autant d'ardeur. Je fais remarquer à mon caméraman que cette inlassable course à relais dure déjà depuis bien trop longtemps.

— Ça fait plus de 24 heures, non ?

— Oui, en effet.

— Tu crois qu'il y a des chances de retrouver des gens encore en vie ?

— Sûrement pas.

Mais ces hommes aux vêtements foncés, qui de haut ressemblent littéralement à une colonie de fourmis s'agitant sur le glaçage vanillé d'un gâteau, refusent toujours d'y croire. Ils continuent de s'épuiser sur une neige bien trop compacte, ayant dévalé la montagne à la vitesse d'un tsunami. Un mausolée impénétrable, dans lequel reposent des cadavres momifiés par le froid.

On ne peut plus rien pour ce soir, à part bien sûr combler notre besoin de nous loger, — besoin qui commence sérieusement à s'élever au rang des priorités.

Nous vivons dans la neige.
Nous savons ce qu'est le froid.
Nous avons appris à le vaincre.
Comment ?
En lui opposant sans cesse
L'allégresse du cœur.

— Un chaman inuit anonyme

Entraide

En situation de catastrophe, l'entraide prend souvent une grande place et les formes les plus inattendues. La preuve ? Ce couple de travailleurs de la santé, d'origine montréalaise, qui vient d'accepter de céder gracieusement sa maison à notre meute de journalistes. Faut-il rappeler que nous sommes plus d'une dizaine, tous de purs étrangers pour eux ? Cela ne les empêche pourtant pas de nous laisser vivre sous leur toit pour les jours à venir, utilisant même leur chambre et leurs effets aussi personnels que leur savon, denrée devenue trop rare, et leur literie dont nous manquions cruellement. Dire que pendant ce temps, eux sont allés trouver refuge chez des amis. Une telle démonstration de générosité a de quoi nous réconcilier avec la nature humaine.

En pareil moment se développe également une solidarité particulière et paradoxale entre journalistes de réseaux différents, conscients d'être à la fois concurrents mais humainement responsables les uns des autres. On se protège. On se serre les coudes. Pourtant, une espèce de jalousie sans bornes nous anime. Par exemple, lorsqu'une compétitrice chuchote quelque chose à l'oreille de son partenaire, ce qui nous fait craindre qu'elle ait trouvé un angle de reportage plus intéressant que le nôtre. Sur le terrain, chacun demeure donc à l'affût du moindre geste, du moindre déplacement des autres, tout en protégeant férocement son propre territoire de travail. En revanche, en revenant le soir, tassés les uns sur les autres dans une maison conçue pour deux, nous devenons une famille unie, non pas par le sang, mais par ce qui s'en rapproche le plus : cette encre qui nous coule dans les veines.

— Les filles vont prendre les matelas et les futons. Nous messieurs, nous dormirons par terre.

Je connais peu de journalistes masculins qui ne soient galants. En tout cas, peu de grands journalistes. Il faut dire que, si nous possédons presque tous cette fibre du justicier ou du protecteur, les hommes qui pratiquent ce métier jumellent généralement cette caractéristique à un orgueil frisant parfois celui d'un coq. C'est encore plus vrai pour ceux qui travaillent à la télé. Ajoutez à cela un niveau intellectuel élevé, et vous avez devant vous l'exemple de parfaits gentlemen auprès des femmes. Peut-être est-ce d'ailleurs la raison pour laquelle ils jouissent d'une si grande popularité auprès des téléspectatrices. Elles y fantasment un hybride de testostérone et de neurones. Or, c'est bien connu, l'auditoire féminin craque pour les rebelles intellos à l'apparence agréable.

En mission, bien qu'ils nous considèrent comme leurs égales, ils savent porter cette attention particulièrement délicate à l'égard de leurs consœurs pour leur rendre la vie plus facile. En cela, je dois leur rendre hommage. En revanche, n'en déplaise à leurs admiratrices, nous vivons aussi en compagnie de ces êtres dénués du maquillage qui les rend nettement plus charmants à l'écran. Comme tout le monde, ils se lèvent le matin avec les cheveux ébouriffés sur la tête. Et ce genre de camping urbain imposé par notre présence en zone hostile nous confronte à une proximité un peu moins attirante :

— Les gars, est-ce qu'il y a une serviette propre quelque part ?

— Non, il n'y en a que deux. Mais t'en fais pas, Annie, on était tous propres quand on les a utilisées en sortant de la douche ! Ça se peut qu'elles soient un peu mouillées par contre.

Et que dire de l'odeur d'une dizaine de paires de bottes mouillées dans lesquelles nous avons dû passer des journées tout entières ? On viendra ensuite me reparler du prestige du métier de journaliste ! Nonobstant ces inconvénients, la vie en zone de catastrophe nous permet un rapprochement hors du commun et que peu de gens auront la chance de connaître. Comment expliquer ces fous rires incontrôlables vécus entre nous le soir, alors que des centaines de personnes au-dehors sont affectées par un drame humain invraisemblable ? Comment comprendre qu'une telle solidarité prenne naissance dans un contexte de compétition professionnelle si intraitable ? Dans ce genre de drame en région éloignée, il devient indispensable de s'accorder un peu de temps pour oublier cette réalité et toute la pression qui l'accompagne durant les journées de tournage. Nous vivons au diapason de la tragédie humaine qui vient nous secouer comme des poupées de chiffon, mais sans avoir le droit de le laisser voir en ondes. Pour traverser tout cela, nous avons besoin les uns des autres.

L'autre côté de la médaille, c'est que cet éloignement impose des moments de séparation sur le plan personnel auxquels peu de couples résistent. Dans mon for intérieur, je reconnais avoir brusqué Michel le jour de mon départ, assez peut-être pour qu'il décide de décrocher. Après tout, n'est-ce pas ainsi qu'agiraient la plupart des hommes devant un caractère féminin trop indépendant ? Raison de plus pour aller me réfugier ce soir en compagnie de la bande. Avec un peu de chance, il restera peut-être un fond de spaghetti Heinz en conserve, acheté dans le seul magasin de provisions disponible du village, et pour laquelle on nous aura soulagés d'au moins six dollars. Au même moment, certains de mes collègues de Montréal couvrent certainement des événements mondains en s'empiffrant au buffet dressé spécialement pour eux dans une salle de presse.

Il faut s'entraider, c'est la loi de la nature.

— Jean de La Fontaine

Le grand Piqsiq

On se réveille tous en sursaut : un vent bien trop matinal hurle à nous glacer le sang. On dirait que les murs vont céder sous les bourrasques.

Je ne m'attendais pas à cela. Personne ne s'y attendait. Il faut vivre un blizzard pour en comprendre la réalité. Devant la fenêtre, ne s'étend plus qu'un épais manteau blanc qui bloque toute la vue. Impossible de même apercevoir les maisons situées à quelques pas. La population locale a l'habitude de ce géant plus grand que nature qu'elle nomme *Piqsiq*. Un charmant mot inuit qui signifie « neige soulevée par le vent ».

Puisqu'elle constitue notre unique moyen de communication avec la sécurité civile, nous aurions tout intérêt à libérer la ligne téléphonique. Mais bien sûr, nous nous l'arrachons à la manière d'une bande de chacals se disputant une proie, car il s'agit du seul canal par lequel alimenter nos médias respectifs. Soulagés d'entendre notre voix, mais craignant une défectuosité, les chefs de pupitre accordent alors la priorité à nos reportages téléphoniques en direct. Les présentateurs de nouvelles doivent s'adapter à ce changement de toute dernière seconde, dont ils sont avertis dans leurs écouteurs. Ce genre de bouleversement implique le travail acharné de toute une équipe technique s'affairant derrière la caméra, mais qui passera inaperçu des téléspectateurs. Il faut vraiment des nerfs d'acier pour réussir à travailler efficacement en salle des nouvelles.

> — Restez à l'intérieur, nous recommande vigoureusement un des officiels de l'endroit qui venait enfin d'obtenir la ligne. Un blizzard peut être extrêmement dangereux, surtout si vous n'en avez pas l'habitude. La situation actuelle ne nous permet pas d'aller vous porter secours si quelque chose arrive. Alors de grâce, restez tranquilles !

Comme c'est mal connaître les journalistes ! Je comprends l'inquiétude des autorités qui en ont déjà plein les bras, mais notre métier exige de prendre des risques. J'échange un bref coup d'œil avec mon collègue caméraman, qui devine d'emblée mes intentions. Et Dieu sait qu'elles rejoignent celles qui lui trottent dans la tête. C'est décidé. On sort !

Nous cherchons désespérément un endroit pour effectuer le tournage. Mais tous les repères qui nous étaient devenus si familiers ces derniers jours ne sont carrément plus visibles. On croirait assister à un film qui mettrait en scène les restes d'une cité ensevelie sous un hiver nucléaire. En trame de fond, le sifflement incessant du blizzard qui nous oblige à crier pour se faire entendre.

— Jean-Paul, où es-tu ?

Il ne peut se trouver qu'à quelques pieds de moi. Mais les rafales dressent un écran de neige devant nos yeux. On marche à l'aveuglette, au risque de se blesser sur un obstacle caché ou de chuter dans un ravin.

— Je suis là. Ne bouge pas, j'arrive.

La couleur orangée de mon manteau lui confère un avantage. Jean-Paul peut ainsi me repérer un peu plus facilement. Me voilà maintenant complètement désorientée. Je ne sais même plus quel chemin emprunter pour retourner à notre gîte. Les autorités avaient raison. Impossible d'avancer plus loin. Et quel sale coup du destin pour tous ces gens qui espéraient pouvoir récupérer les corps de leurs proches, encore gisants sous les glaces. Ils n'ont pourtant pas eu le choix que de suspendre les recherches, le temps que le Piqsiq daigne se calmer.

— On fait ça ici !

— Quoi, répond Jean-Paul. Parle plus fort, je n'entends rien.

— Sors la caméra, on va tourner ici. Nous n'avons pas le choix.

« Ici » signifie au milieu de nulle part et en pleine tempête. Je suis là, debout, à décrire la situation en essayant de parler plus fort que le vent et surtout à rester en place. La caméra doit se tenir tout près. Nous devons faire vite car la glace ne cesse de s'accumuler sur la lentille. Le principal défi reste de garder les yeux ouverts, ce qui est primordial lors d'un reportage télévisuel. Les rafales sont autant de coups de fouet sur mes globes oculaires. Même couvert, le reste du visage demeure la victime de cet ignoble Piqsiq qui s'amuse à lui infliger ses pires morsures. J'étouffe. J'ignorais qu'un vent violent pouvait faire coller les narines !

On ne peut ensuite faire parvenir les images que par avion. Or, pas plus d'un appareil par semaine ne vient se poser sur les glaces de ce coin reculé du monde. Cette sacrée tempête complique drôlement les choses puisqu'on vient de fermer la piste d'atterrissage. Le village est paralysé. La vie prend une pause. Les animaux sauvages et les chiens ont dû trouver refuge dans quelques recoins isolés où plusieurs doivent probablement lutter pour survivre.

Il ne reste plus qu'à nous terrer, nous aussi. Qu'à attendre. Qu'à patienter. Tout ce que des journalistes tiennent en sainte horreur !

Sais-tu où vont les larmes des peuples, quand le vent les emporte?

— Alfred de Musset

Des linceuls beiges

— Je veux obtenir les autorisations pour entrer dans cette morgue.

Ma voix devient plus affirmative. On me regarde d'un œil réprobateur. J'insiste. Pas question d'essuyer un autre refus. Cette histoire fait partie de la couverture journalistique que je désire obtenir. L'angle est trop fort. Tous les corps ont maintenant été transportés dans une salle commune du CLSC. Pour une fois, les conditions météorologiques comportent un avantage : il aura suffi de couper le chauffage de la pièce pour préserver adéquatement les cadavres. On tente de m'empêcher d'immortaliser cette scène. Si les Inuits ne laissent généralement personne s'occuper de leurs morts, ils feront évidemment tout en leur pouvoir afin de les empêcher de devenir objets de curiosité. Jusqu'à maintenant, aucun autre reporter n'a réussi à approcher ces victimes. Selon moi, on doit absolument les voir, non pas pour en faire des personnages de cirque, mais pour démontrer l'ampleur de ce que l'on vient de vivre ici. Dans cette contrée dont plusieurs des gens de chez moi, il y a encore une semaine, ignoraient jusqu'à l'existence…

Les négociations paraissent longues et difficiles. Les hommes à qui je m'adresse sans succès depuis près de quarante-cinq minutes ne semblent pas vouloir céder. Il est clair que mes revendications commencent sérieusement à les importuner. Ils finissent par s'éloigner un peu. Je ne comprends rien de cette langue aux accents gutturaux. Puis, à ma grande surprise, l'un d'eux revient vers moi et en balbutiant dans un très mauvais anglais :

— Three minutes. No more. Really… no more.

— Thank you[11].

J'aimerais lui offrir mes remerciements dans sa langue natale, mais bizarrement je ne me souviens pas avoir entendu le mot « merci » depuis mon arrivée. Jean-Paul et moi pénétrons finalement au cœur

[11] — Trois minutes. Pas plus. Vraiment… pas plus.
— Merci. »

111

de cette morgue improvisée, escortés par deux officiels de la municipalité. Et c'est là que tout change. Nos voix s'apaisent. Ceux qui s'affichaient comme d'inflexibles adversaires il y a quelques secondes à peine viennent à ma rencontre dans ce silence. Ce qui s'offre à nos yeux rendrait inconvenante toute forme d'hostilité. Neuf corps gisent au sol, sans tables ni civières. Une disposition qui, dans notre culture, serait perçue comme un flagrant manque de respect. Ici, elle ne choque personne. Une simple réunion entre l'homme et sa mère la terre.

Ils sont tous recouverts d'un linceul beige. Cela me surprend. J'avais imaginé qu'en toutes circonstances, on ne devait couvrir une dépouille que d'un drap de couleur blanche. Ils diffèrent de par leur taille, ce qui suggère que quatre des victimes n'avaient manifestement pas atteint l'âge adulte. Quelque chose se transforme. Tout à coup, je n'observe plus la scène en journaliste, mais bien en néophyte de la mort. Bien que j'aie pris soin de le cacher à tout le monde, jamais de ma vie je n'avais encore vu ni touché de cadavres. Des cercueils, oui. Des urnes, bien sûr. Mais la mort dans sa plus simple expression, ça jamais. Pendant ce temps, au-dehors, un immense bûcher s'enflamme. Destiné à faire fondre la neige et à réchauffer la terre gelée, il permettra de creuser les tombes.

Ce dernier envoi d'images par avion me hante. Quelque chose en moi a changé. Je commence à comprendre pourquoi certains membres de la communauté inuit s'insurgeraient à l'idée que nous filmions leurs morts. Je suis moi-même arrivée à cette conclusion étonnante : je ne veux plus porter ces images à l'écran. J'aimerais pouvoir m'expliquer ce sentiment si contraire à mon avidité journalistique, mais je n'y arrive pas. La seule chose que je puisse faire, c'est de présenter mes objections à ma chef de pupitre. Je lui parle franchement, sans la moindre agressivité, mais sans retenue ni honte non plus. La requête ne vient plus de la journaliste, mais simplement de la personne humaine.

À la fin de notre conversation, elle m'assure que certaines images ne seront pas diffusées.

Sous une terre enneigée

Je n'aurais jamais cru qu'un jour mon aversion pour les funérailles parviendrait à s'estomper. Et pourtant, celles auxquelles j'assiste en ce moment transpirent tellement le respect, le courage, le sacré et surtout la grande la résilience observée chez ce peuple, que je m'étonne à y ressentir une certaine forme de sérénité. Si j'ai tant appris sur la mort, je suppose qu'à présent j'apprends sur la vie et ses rites. Je ne m'indigne pas à l'idée que ce soit un garage municipal qui ait été converti en chapelle ardente. Dans un endroit si éloigné et dépourvu de facilités, tout peut prendre un sens autre. Les objets comme les êtres. À titre d'exemple, la langue inuit comporte plus d'une trentaine de mots pour décrire la neige :

Aluiqqaniq :	Banc de neige au flanc d'une colline.
Aniuq :	Neige bonne à boire.
Aniuvaq :	Neige accumulée dans des trous.
Aput :	Neige gisant par terre.
Aqilluqqaaq :	Neige fraîche mais boueuse.
Auviq :	Bloc de neige servant à la fabrication d'un igloo.
Ijaruvaq :	Neige fondue s'étant transformée en cristaux.
Isiriartaq :	Neige tombante, dont la couleur tire vers le jaune ou le rouge.
Kanangniut :	Banc de neige formé par un vent du nord-est.
Katakartanaq :	Neige craquante, pouvant se briser sous nos pas.
Kavisilaq :	Neige durcie par la pluie ou le gel.
Kinirtaq :	Neige mouillée, très compacte.
Masaq :	Neige mouillée et pleine d'eau.
Masaaq :	Neige dans de l'eau.
Maujaq :	Neige épaisse et molle sur laquelle il est difficile de marcher.
Mingullaut :	Neige fine et poudreuse qui s'infiltre dans les menus espaces et qui recouvre les objets.
Mituq :	Neige fine recouvrant un trou de pêche.
Munnguqtuq :	Neige qui s'adoucit au printemps.
Natiruviaqtuq :	Bordées de neige sur le sol.

Niggiut :	Banc de neige formé par des vents du sud-est.
Niummaq :	Neige dure et ondulée qui reste sur les étendues de glace.
Pigangnuit :	Banc de neige formé par des vents du sud-ouest.
Piqsiq :	Neige soulevée par le vent ou la tempête.
Pukaq :	Cristaux de neige sèche.
Qannialaaq :	Chute de neige très fine.
Qanniq :	Neige tombante.
Quiasuqaq :	Croûte de neige qui s'est reformée après un deuxième gel.
Qiqiqralijarnatuq :	Neige qui craque sous les pas.
Uangniut :	Banc de neige formé par un vent du nord-ouest.
Uluarnaq :	Banc de neige de forme ronde
Galuraq :	Banc de neige se formant graduellement.

Je viens de comprendre toute la musicalité de cette langue étrangère, pourtant parlée dans mon propre pays, et pouvant ressembler à de la pure poésie par la nuance de ses mots. Les Inuits ont défini la neige à ce qu'elle représente dans leur vie quotidienne ; de l'image colérique et intransigeante du grand Piqsiq jusqu'à la douceur et la fraîcheur d'Aniuq, celle dont ils se désaltèrent.

Or dans ce dialecte si riche en prouesses linguistiques, il n'existe aucun mot pour désigner « pompes funèbres ».

Le départ

L'heure de mon départ approche. Il ne me reste plus qu'à assister à une conférence de presse que l'on vient à peine d'annoncer. À mon arrivée dans la salle, j'avoue espérer très peu de cette rencontre. Que pourrait-on nous apprendre de plus que la suite normale des choses : une enquête publique et la reconstruction de l'établissement scolaire ? Tout n'avait-il pas été dit, écrit et rapporté ? Nous avions déjà documenté les histoires troublantes comme celle de cette enseignante qui, immédiatement après le drame, s'était mise à creuser à l'aide d'une simple poêle à frire. Et celle de cette jeune mère, miraculeusement retrouvée vivante en compagnie du bébé de six mois qu'elle portait sur son dos à la manière traditionnelle des braves femmes de ce village. Mais il restait bel et bien quelque chose à dire. Un élément que je dois ajouter à mon dernier reportage téléphonique et que je pratique au préalable en ces termes :

— Les responsables de la Sécurité publique nous informent que l'avalanche n'aurait probablement pas été causée de façon naturelle, mais bien par une tradition du Nouvel An. Il serait en effet de coutume, au sein de cette communauté, de tirer des balles de fusil dans les airs aux douze coups de minuit. On croit que ces détonations auraient pu provoquer la chute de neige en provenance de la montagne située à proximité de l'école. On se rappellera le triste bilan de cet accident qui aura fait neuf morts, dont cinq enfants, en plus de vingt-cinq blessés. Ici Annie Gagnon, à Kangiqsualujjuaq.

Est-ce là la véritable cause du drame, ou s'agit-il d'un simple hasard ? Difficile à dire. Des avalanches de moindre importance avaient déjà eu lieu à proximité dans le passé, mais, ce soir-là, les festivités et leurs rituels étaient également bel et bien à l'honneur. En journalisme, comme dans toute autre sphère, on baigne parfois dans l'incertitude la plus totale, et ce, malgré la volonté de trouver les réelles explications.

J'ai hâte de retourner enfin chez moi. Cette fois-ci, le trajet du retour ne me dérange plus du tout. Mon corps trop fatigué ne ressent plus l'inconfort. Je finis par m'endormir, bercée par cette turbulence aérienne comme par un doux roulement de vagues.

Et dans la tempête et le bruit, la clarté reparaît grandie.

— Victor Hugo

MICHEL

Un sang d'encre

La sonnerie du téléphone me sort brusquement de ma rêverie délirante. Heureusement, parce que je nageais justement en pleine guimauve à la pensée de Michel. Le chemin du retour m'avait en effet
permis de dresser un bilan fort simple de cette relation ; mon métier
ne me permettait tout simplement pas de manquer d'indépendance.

— Allô !

— Salut, c'est Michel.

Parlant du loup…

— Dis-moi Annie, tu crois qu'on pourrait se voir ? J'ai quelque
chose à te dire.

— Oui, sans problème. Ça tombe bien parce que moi aussi je
voulais te parler.

Ce petit bout de phrase sans plus d'explications me permettra, au
besoin, de couper court au sermon de rupture qu'il s'apprête à prononcer. Un vieux truc de journaliste n'est-il pas de reprendre les
arguments de la personne en face de nous et de rejouer sa propre
carte à l'envers ? Il suffira alors qu'il débute son discours par : « Tu
sais, je ne crois pas que ça puisse fonctionner » pour que je lui

réponde : « C'est justement ce dont j'allais te parler. » Façon noble de reprendre le contrôle de la conversation et dont l'orgueil sort indemne. Le cœur, par contre, un peu moins. Mais cela, il n'a pas à le savoir. Il n'y a rien que je déteste plus que les pleurnicheries inutiles. Je me souviens encore d'un amant de passage, qui avait osé s'agripper à ma voiture, pour m'empêcher de le quitter. Je crois qu'il a compris que cela ne servirait à rien lorsque j'ai brusquement enfoncé l'accélérateur... ou du moins, lorsque j'ai définitivement cessé de répondre à ses appels.

Voilà donc mon « futur-ex-amoureux » qui se pointe à ma porte. Je l'invite à entrer par politesse, mais sans même avoir pris la peine de faire de thé. Après tout, le plus vite ce sera terminé, mieux nous nous en porterons tous les deux.

— Alors, tu as fait bon voyage ?

— Disons que ça n'avait rien d'une partie de plaisir.

Il esquisse un sourire un peu maladroit.

— J'ai regardé tes reportages, dit-il.

Puis il laisse planer un silence avant d'ajouter : « J'ai aussi vu celui que tu as effectué en plein blizzard. Triste histoire. »

Ciel ! Voilà que ça s'éternise !

— J'espère que tu t'es remis de tes émotions. Je sais que je t'ai bousculé un peu en partant pour le Grand-Nord, mais je n'avais pas le choix... c'est mon travail !

J'anticipe ce qui va suivre : le beau discours prétextant qu'il ne voudrait surtout pas mettre un frein à ma carrière et qu'il comprend très bien le besoin de liberté qu'exige cette profession. Tout cela évidemment dans le but de préserver son orgueil de mâle qui se transformerait en sang d'encre à chacun de mes départs.

— Ça va, ne t'en fais pas, répond-il. Mais j'avoue que ce qui m'a un peu dérangé, c'est le fait que tu ne me fasses pas assez confiance pour me laisser seul dans ton appartement.

Tiens, celle-là, je ne l'avais pas vu venir ! Bon d'accord : un à zéro. Sa tactique diffère légèrement de celle de la majorité des mâles. Je sais quand même ce qui va suivre. Allez, vas-y mon grand, crache le morceau...

— Pour le reste, je comprends très bien ce que ton métier exige. Et je trouve que tu as certainement vécu une expérience de vie exceptionnelle là-bas ! J'ai hâte d'entendre toutes les autres.

Je suis totalement prise de court. Plutôt que d'annoncer la rupture de notre couple, il venait de lui prêter serment, avec pour seul témoin ce sens de l'honneur qui le caractérise. Et si tout au long de ma carrière, j'avais aimé des hommes qui pratiquaient la même profession que moi, lui m'offrait enfin tout autre chose. Cela m'apparaissait comme une bénédiction. Un amoureux sans histoire, inconnu du public et suffisamment solide pour vivre avec les montagnes russes de ma folle carrière. Un cadeau de la vie, quoi !

Les seules belles histoires d'amour sont les vraies et les histoires vraies sont banales.

— Roch Carrier

Le Noël suivant

Une fois de plus, presque une année vient de s'écouler comme dans un sablier trop rapide. Noël approche à grands pas et il est temps de charger la voiture pour aller le passer chez mes parents. Cela exigera sept longues heures de route en direction du Témiscamingue. Plusieurs s'étonnent du fait que ce trajet me semble toujours très court en comparaison de l'immense joie que la destination finale me procure. J'y retrouve la résidence de mes parents bien sûr, mais aussi mon petit chalet d'été en bois situé dans la baie voisine.

— Comment fais-tu pour garder un chalet aussi éloigné ? À ta place, je le vendrais pour en acheter un dans les Laurentides.

Cette remarque d'un collègue, je l'avais entendue des dizaines de fois de la bouche de personnes différentes. Comme j'aimerais parvenir à leur expliquer pourquoi il me semble tout à fait normal (et même banal) de parcourir plus de mille cinq cents kilomètres, aller-retour, pour n'y rester parfois qu'un week-end. Mais en toute honnêteté, je l'ignore ! Tout ce que je sais, c'est que, chaque fois, un immense bonheur m'anime à l'idée d'y retourner. La présence du lac, sans doute. Ou encore, le simple petit plaisir de me lever le matin pour partir à la recherche de traces d'animaux toutes fraîches sur mon terrain. Quels nocturnes visiteurs oseraient s'aventurer chez l'homme au moment où ce dernier somnole ? Une question qui a souvent accompagné mes plus belles légendes d'enfants (là où une gracieuse licorne s'approchait doucement de la fenêtre de ma chambre), ou bien mes pires cauchemars lorsque les craquements de branches laissaient plutôt présager la présence d'un sanguinaire meurtrier en série, muni évidemment d'une hache bien tranchante. Et si aujourd'hui la rêverie de la licorne a su faire place à des hypothèses plus adultes, je souris à l'idée que la deuxième histoire me fasse tout de même encore frissonner un peu par moments !

— Annie, tu viens ou quoi ? Mais qu'est-ce que tu fais encore ?

Cette année, la voiture compte un voyageur de plus, qui commence d'ailleurs à s'impatienter quelque peu. Si mon prince charmant en est indéniablement un d'honneur et de cœur, il présente cependant un petit côté soupe au lait. Et moi, bien sûr, je lui réserve le rebord aiguisé d'un caractère qui refuse de s'en laisser imposer.

— Heille, les nerfs !

Un être doué d'un peu moins de patience que la moyenne jumelé à une revendicatrice parfois encline à un brin (c'est peu dire…) d'obstination. La belle affaire ! Mais comme à l'habitude, après l'entrechoquement de nos défauts, le calme retrouve sa place. Et la route de défiler au rythme de nos CD respectifs qui, force est de le constater, ne font plus partie aujourd'hui que d'un seul et même étui conçu pour le voyage…

S'il s'agit du premier Noël officiel de Michel à titre de membre de famille, il n'en est pas pour autant à sa première visite. L'été dernier, nous y avions déjà passé les vacances ensemble. Mon chalet ! Ce lieu si cher à mon cœur ! Un endroit dont le confort ne s'inscrit pourtant que dans des charmes absolument rustiques et dénués de tout artifice. Une simple structure carrée, qui nécessite même l'installation d'échelles pour monter aux deux chambres en pignon situées au-dessus du salon et de la cuisine, eux-mêmes réunis en une seule et même pièce. Une construction tellement petite qu'il est préférable de ranger ces mêmes échelles durant la journée, histoire de faciliter nos déplacements. Un endroit contenant d'ailleurs une surprise de taille, que je laisse habituellement mes invités découvrir sur place. Et cet été-là, Michel n'avait pas fait exception à la règle.

— Euh… elle est où, la toilette ?

— Dehors !

Je m'amuse toujours follement en formulant cette réponse.

— Et qu'est-ce qu'on fait alors s'il pleut ou qu'on a envie d'y aller pendant la nuit ?

Deuxième question classique ! Et la seconde réponse, tout aussi classique, de s'en suivre :

— Bah ! Je conseille alors fortement l'usage d'un imperméable ou d'une lampe de poche, car il fait noir comme chez le loup ici la nuit. Et si jamais il pleut pendant la nuit, ben on prend les deux !

Cela n'a pas empêché Michel de m'accompagner au chalet à plusieurs reprises et d'en apprécier les avantages. Mieux encore, il a mis ses talents manuels à l'épreuve en procédant à quelques rénovations, dont une salle de bain complète. Cadeau de Grec certes, mais avouons-le, fort utile ! L'une des modifications représentait un défi encore plus grand : installer un foyer à bois rendant le bâtiment habitable pendant la saison froide. Un travail qui exige bien sûr du temps, de la démolition, de la pose de céramique et bien d'autres choses encore. Mais, par manque de temps, nous n'avions pas réussi à terminer cette installation et devions maintenant attendre le printemps suivant pour finaliser les travaux. Quelle déception que de ne pouvoir en profiter pour ce premier Noël ensemble ! Pour l'instant, le chalet doit donc rester condamné sous le poids de la neige et du froid.

Il fait presque nuit lorsque nous arrivons enfin chez mes parents. Je constate à quel point j'ai besoin de ces vacances, car je tombe littéralement de sommeil. Au petit matin, Michel et moi décidons de nous rendormir après avoir entendu les pas de mon père et le bruit de la porte se refermant derrière lui. Comme à son habitude, il joue au coq trop matinal ! Cher papa ! La retraite ne l'a pas ralenti, bien au contraire. Il trouve toujours quelque chose à faire. Et combien de fois l'ai-je entendu répondre à de gens qui lui demandaient de ses nouvelles :

— Oh ! Rien de bien spécial. La petite vie. On se tient occupé...

Pour lui, se tenir moyennement occupé signifiait notamment s'être fait élire maire de la ville…

Nos narines sont chatouillées à l'odeur d'une omelette mijotant sur le feu et à celle du café chaud qui embaume maintenant toute la maison. Réveil assuré ! Pas question de manquer le petit déjeuner préparé par ma mère ! On devine facilement que, fidèle à son habitude, elle s'est donné pour sainte mission de nous gaver encore plus que la dinde qui garnira la table du repas de Noël. Et je suis loin de m'en plaindre, car à mon grand malheur je ne peux me vanter de tenir d'elle pour ce qui est des talents culinaires. Nous sommes à peine assis à table, Michel et moi, que deux assiettes débordantes apparaissent devant nous.

— Papa ne déjeune pas avec nous ?

Non, répond ma mère. Il est parti de bonne heure. Il avait des choses à faire.

Quelques minutes plus tard, un courant d'air frais se fait sentir. Voilà papa qui vient de rentrer, tout couvert de neige.

— Ah ! bonjour, dit-il enjoué. Dites donc, vous devriez vraiment aller faire un tour dehors.

— Oui, peut-être plus tard, réponds-je, encore un peu amorphe.

Il insiste.

— Vous devriez vraiment y aller. La petite neige folle qui tombe et les sentiers tout blancs… c'est vraiment magique. Profitez-en donc, les jeunes !

Mais quelle mouche l'a piqué ? Depuis quand mon père se laisse-t-il attendrir par la neige ? On dirait qu'il veut nous faire sortir. J'en déduis qu'il s'agit sûrement d'une ruse pour rentrer en catimini quelques cadeaux achetés un peu trop tardivement. J'ai compris, on nous met dehors ! Il faut dire que l'idée de marcher en compagnie de mon amoureux dans ce décor féérique et si différent de la ville me plaît beaucoup. Bas de laine, tuques, mitaines et une bonne dose de romantisme devraient donc rendre cette expérience matinale plutôt agréable malgré le froid. Après tout, il faut bien ajouter un peu de magie au temps des fêtes, non ?

On froisse donc le tapis blanc en y laissant nos traces de pas. Leur proximité et leurs dimensions auraient fait deviner à tout observateur qu'un couple y avait déambulé en se serrant l'un contre l'autre. On suit le chemin qui tourne vers la gauche. Puis, au-dessus de la cime des sapins enneigés se dessine quelque chose d'inhabituel : de la fumée. Un incendie ? Non, la fumée ne danse pas comme celle d'un brasier, mais plutôt comme celle d'une flamme domptée et captive s'échappant docilement par une cheminée. Je comprends alors que mon père a installé notre poêle à bois. Je me mets à courir jusqu'au chalet pour admirer le travail. Mon père et ma mère ont pris soin d'y ajouter deux éléments : un petit sapin de Noël pour décorer l'endroit où Michel et moi pourrons passer nos premières fêtes ensemble, et un cadeau emballé portant l'inscription « pour Annie ». En le déballant, je découvre… une scie à chaîne ! Merveilleux cadeau pour aller couper le bois sans trop d'effort. Chers parents !

Nous nous remettons en route pour aller les remercier. Mais curieusement, lorsque je les vois, plus un mot ne sort de ma bouche. À la surprise de tous, et encore plus à la mienne, je me mets à pleurer à chaudes larmes en les serrant dans mes bras. Je réalise que, treize mois auparavant, les deux hommes de ma vie me regardaient à la télévision, en plein blizzard, impuissants et inquiets. Et voilà qu'aujourd'hui, ils avaient conjugué leurs efforts pour m'offrir le confort d'un Noël bien au chaud.

Symboliquement, ce cadeau représentait le plus grand des présents ; leur manière à eux de toujours me protéger au moment où j'aurai besoin de trouver refuge. Je reconnais bien là mon père qui, au fil des ans, avait transformé leur propre petite maison de campagne en une somptueuse résidence. Ses cheveux qui tournent au gris me font comprendre qu'il a mis sa force et sa sueur non pas pour réno-ver un simple bâtiment, mais bien pour en faire un foyer familial. Un héritage. Un endroit qu'il fera toujours bon retrouver une fois les enfants devenus adultes ou les parents devenus trop vieux. Un accomplissement qui sera mentionné dans le bilan d'une vie, avant le grand départ. Un ouvrage qui inspirera les générations à venir à poursuivre la tradition. Michel, qui a lui aussi mis la main à la pâte au début du projet, vient de commencer, sans même le savoir, à bâtir notre propre héritage.

La vie des autres, c'est peut-être le meilleur refuge quand la nôtre nous désespère.

— David Foenkinos

Au voleur !

C'est justement en voulant défendre notre propre domicile que Michel a failli faire du mal, non pas à un criminel voulant se venger d'un de mes reportages, mais bien à un innocent caméraman. Et tout cela à cause d'une accumulation de circonstances bêtes et imprévisibles. La journée avait débuté, comme toutes les autres, par une simple conversation entre Michel et moi au déjeuner :

— Sur quoi travailles-tu aujourd'hui ? me demande-t-il en bâillant encore.

— Je termine mon reportage sur les meubles et les enfants.

— Ah oui… bien sûr !

Je le regarde en relevant les sourcils. Je connais cet air trop désinvolte indiquant qu'il tente d'éviter un sujet. Chaque fois, sa phrase se termine justement par « bien sûr ».

— Tu n'as pas la moindre idée de ce dont je parle, n'est-ce pas ?

Pris au piège, il déclare forfait en esquissant un sourire.

— Allez, raconte-moi encore !

J'avais en effet remarqué une certaine distraction chez lui ces temps-ci, sans doute trop absorbé par son travail. Je comprends que quelques récentes conversations ont alors dû lui échapper, mais qu'en bon joueur ce matin il tend l'oreille de manière un peu plus attentive.

— Je fais un reportage sur les dangers de blessures chez les enfants à cause de meubles non sécuritaires.

— Ah bon ! Et ça arrive souvent ?

— Pas mal trop, malheureusement! Le pire, ce sont les téléviseurs ou bien les bibliothèques. Les enfants les font basculer en s'agrippant dessus. À peu près 70 % des victimes sont âgées de moins de quatre ans. Ça peut causer des traumatismes crâniens sévères et on rapporte même chaque année plusieurs cas de décès.

— Eh ben dis donc! Faudra faire drôlement attention quand on aura des enfants, alors.

— Euh… ah oui, bien sûr!

À son tour de relever les sourcils en me fixant d'un regard espiègle. Je ne m'attendais pas à aborder ce sujet ce matin! Il faut dire qu'il revient assez souvent ces temps-ci. On dirait même que son horloge biologique le travaille plus que la mienne. De mon côté, rien ne presse. Pour l'instant, ma carrière prend trop de place. On en reparlera dans, disons… je ne sais pas, moi… dix ou quinze ans?

Bon, je plaisante. Mais, me connaissant, je sais que j'éviterai probablement le sujet jusqu'à ce qu'un jour il me mette au pied du mur. J'ai carrément la trouille de mettre un enfant au monde. En même temps, je crains d'atteindre ce point de non-retour, dicté au chant du cygne de mes ovaires desséchés et me confinant à la solitude. Aux regrets, aussi. Et pourtant, moi, la femme de tête fonceuse, audacieuse, fière et caractérielle, je préfère tout de même laisser cette importante décision à mon homme ou à la nature, tout dépendant de qui réussira à déjouer l'autre en premier. J'en discuterais avec des consœurs féministes qu'elles me réduiraient en chair à saucisse ou réclameraient ma crucifixion sur la place publique. Une exécution, je dois l'avouer, probablement justifiable! Mais pour le moment, j'ai heureusement d'autres chats à fouetter, dont la réalisation d'un reportage pour lequel les délais se resserrent.

— Dis mon chéri, tu veux bien t'occuper du souper, ce soir? Je risque d'arriver tard parce qu'on part en tournage extérieur.

— Ça tombe mal, parce que je dois moi aussi aller rencontrer un client hors de la ville. Mais on pourrait peut-être commander une pizza à mon retour ?

— Oui, d'accord, bonne idée !

On repart donc chacun de son côté, laissant la maison déserte pour tout le reste de la journée. Seule Pantoufle y montera la garde, ce qui pour elle signifie chasser une ou deux mouches, laper son bol de lait, narguer un peu le chien du voisin à travers la fenêtre, et se rendormir après avoir déployé cette vaste panoplie d'efforts.

Mais quelques heures plus tard, le scénario change. Le caméraman et moi n'avons pas réussi à obtenir toutes les images nécessaires. Il nous faut dénicher un décor comprenant un ameublement présentant des risques pour de jeunes enfants. Comme aucun studio n'est disponible, nous devons trouver rapidement une solution de rechange. Je lui suggère alors de venir tourner certaines scènes chez moi.

— Tu es certaine ? demande Yves, sans doute soucieux de respecter mon intimité familiale.

— Mais oui, pourquoi pas ? Comme nous n'avons pas d'enfants, nos meubles ne sont pas sécurisés. Et puis Michel travaille à l'extérieur de la ville aujourd'hui, ce qui nous laisse tout le temps nécessaire.

Ce que j'ignore, c'est que, au même moment, Michel se rend compte qu'il a oublié un document important à la maison. Il doit se dépêcher de venir le récupérer, sans quoi sa rencontre sera fichue.

Yves et moi roulons donc tranquillement vers ma résidence tandis que Michel, lui, s'enfonce dans un bouchon de circulation. Arrivés à destination, nous garons la fourgonnette dans l'entrée de garage et nous affairons à sortir le matériel. Au bout d'un quart d'heure de préparatifs, nous voilà prêts à tourner.

— Dis, Annie, tu crois qu'on pourrait déplacer quelques meubles ?

— Aucun problème.

— Je mettrais le téléviseur par terre en lui donnant un angle comme pour faire croire qu'il est tombé.

— D'accord. Attends, je vais t'aider.

Tels des déménageurs improvisés, nous nous mettons donc à déplacer le mobilier de manière assez inusitée. On met les meubles à la renverse, en plaçant la caméra de manière à faire croire qu'un enfant se trouve dessous. Les professionnels comme Yves savent que l'image ne doit pas seulement susciter la réflexion, mais d'abord créer une émotion qui déclenchera ce processus d'analyse. Ici il faudra donner au public, au premier coup d'œil, l'illusion d'un accident grave, mais évitable. Je sais qu'Yves y parviendra, car il maîtrise cet art de forger l'imaginaire au-delà de la simple prise de vue. Il parvient à créer des sensations que la caméra, toute seule, ne peut ni capter ni ressentir. Mettre en contexte ? Non ! Faire vivre la scène !

Est-ce parce que nous sommes trop concentrés à cette tâche que nous n'entendons pas arriver la voiture de Michel ? Et peut-on le blâmer de s'inquiéter à la vue d'une camionnette étrangère stationnée chez lui ? Notre véhicule n'affiche en effet aucun sigle de la station : pour les besoins de la filature, les véhicules dont nous nous servons sont banalisés. Michel s'approche en catimini de l'entrée principale. Il croit ses soupçons confirmés lorsque sa main empoigne le loquet laissé déverrouillé. Sans faire de bruit, il pénètre à l'intérieur. Quelle erreur de sa part que d'opter pour jouer les héros plutôt que de composer le 9-1-1 ! Mais sa testostérone prend le dessus sur la raison. Pour lui, des intrus ont envahi notre domicile. Qui plus est, ces individus pourraient faire partie de ceux qui ont une dent contre moi, alors pas question de les laisser déguerpir. Il ne se pardonnerait pas que quelque chose m'arrive après leur avoir laissé la chance de filer. Il se rend donc jusqu'à la cuisine et agrippe un bâton qui traîne près de la porte arrière.

Le pauvre Yves lui, ne se doute de rien. Il est accroupi par terre et tourne le dos à Michel lorsque ce dernier grimpe silencieusement l'escalier muni de son arme improvisée. Le fait qu'Yves soit en train de déplacer des meubles ne fait évidemment qu'empirer les choses aux yeux de mon conjoint, maintenant convaincu qu'il ne peut s'agir que d'un voleur ou d'un vandale. Il s'élance en brandissant le bâton. Et ce n'est qu'à la toute dernière seconde que Michel s'aperçoit de ma présence et freine d'un coup son élan colérique.

Trop souvent, les caméramans sont confrontés à des situations dangereuses. Combien de fois subissent-ils de l'intimidation ou de la violence de la part d'individus mécontents d'avoir été pris au piège ? J'ai vu ces hommes brutalisés à coup de poings, de sac à main ou bien subir des blessures aux yeux quand quelqu'un assénait un coup contre la lourde et dure caméra déjà appuyée sur leur visage. Un impact qui pourrait littéralement leur coûter la vue. Combien de fois se retrouvent-ils également au sein de situations périlleuses comme des incendies, des manifestations violentes ou des désastres naturels ? Mais je frissonne encore plus à l'idée que l'un d'entre eux aurait pu être sérieusement blessé à l'intérieur de ma propre maison. Comme quoi, dans ce métier, où que l'on soit, il ne faut jamais se croire en sécurité.

Heureusement, toutes les anecdotes concernant les caméramans ne sont pas dramatiques, bien au contraire. Certaines sont même souvent assez savoureuses…

NOS PARTENAIRES
LES CAMÉRAMANS

À en perdre ses « bobettes »

— Si jamais elle réussit à obtenir une entrevue avec ce gars-là, je te jure que je mange mes bobettes !

Une phrase que le caméraman pousse à la blague à notre réalisateur. Mes deux collègues m'attendent au dehors d'un édifice dans lequel je tente par tous les moyens d'obtenir une entrevue avec un fraudeur. Ce dernier ignore évidemment que je porte un micro caché et que toute la conversation est retransmise en direct aux oreilles de mes coéquipiers. Il s'agit d'une mesure parfois nécessaire, tout dépendant de la nature de l'information à recueillir et du degré de dangerosité que pourrait susciter ce genre d'intervention journalistique. Si plusieurs individus ne perçoivent pas toujours ma présence d'un bon œil, disons que certains d'entre eux ne figurent certainement pas non plus au registre des anges. Yves se concentre sur tout ce qu'il entend dans les écouteurs. Et Dieu sait que je ne fais pas dans la dentelle.

— Monsieur, je ferai ce reportage avec ou sans votre témoignage.

L'homme assis devant moi semble calme. Un peu trop calme à mon goût ! Cela démontre généralement un sentiment de sécurité frisant le narcissisme qui ne me dit rien qui vaille. Qui dit narcissique dit manipulateur. Voici le genre d'homme à qui il ne faut donner aucune marge de manœuvre, et dont le point faible est l'immense désir de représentation.

— Je vous donne l'occasion de donner votre version des faits. Sinon tant pis pour vous… par votre silence, vous aurez laissé une très mauvaise impression aux yeux du public.

La partie est encore loin d'être gagnée. Si tous les gestes de l'individu et toutes ses mimiques maladroites me le prouvent, mes partenaires parviennent à la même conclusion rien qu'en écoutant sa voix. Dans notre métier, cette aptitude hors du commun se développe énormément chez les collègues qui doivent rester aux aguets et assurer notre sécurité en se tenant à bonne distance.

— Vous ne voulez pas parler ? Pas de problème. J'ai un topo de dix minutes à rendre. J'allouerai simplement un plus de temps d'antenne à vos adversaires…

Il faut parfois la jouer dure ! Le visage de l'homme change. Un tic nerveux à peine perceptible s'installe à la commissure de ses lèvres. Il se dit sans doute que mentir vaut mieux que de laisser l'impression qu'il se terre comme une taupe. Souvent imbus d'eux-mêmes et habitués à flouer les gens, ces manipulateurs aux tendances narcissiques pensent pouvoir tromper la caméra aussi facilement que leurs victimes. Ils oublient que, contrairement à ces dernières, la lentille n'offre aucune expression physique révélatrice leur permettant de raffiner leurs fanfaronnades. Et c'est justement là qu'ils atteignent un point de déséquilibre. On attend ce moment avec impatience. On ne presse rien, préférant leur laisser toute la corde nécessaire pour se pendre. Et ils y parviennent tellement bien seuls. Ce moment se produira dans quelques minutes. En attendant, j'indique à mes collègues de venir me rejoindre.

Le réalisateur se tord de rire en assénant un coup de poing moqueur à l'épaule du repentant caméraman.

— Eh bien ! Mon vieux, tu sais ce qu'il te reste à faire.

Pas question de passer sous silence ce pari qui devient instantanément la blague de la semaine au bureau. Mais puisque ce serait un tantinet inhumain (et probablement illégal !) que de le forcer à respecter une telle promesse, il nous faut une solution de rechange.

À Noël, cette année-là, notre caméraman déballera un charmant cadeau : une petite culotte mangeable rouge, gracieuseté du réalisateur et de moi-même.

Alerte au Jell-O

Pédaler dans le Jell-O... une des expressions cocasses et colorées qu'Yves, caméraman et fidèle complice, utilise souvent. En gros, cela signifie faire tout en son pouvoir pour qu'un invité totalement coincé (et souvent franchement inintéressant) sorte un peu de sa bulle.

Visuellement, l'endroit où nous allons aujourd'hui n'a déjà rien pour plaire. Quoi de plus terne qu'une salle de conférence munie d'une table rectangulaire dépourvue du moindre design et de stores verticaux de couleur coquille d'œuf sur fond de mur crème ? Je serai toujours étonnée du laxisme de certains dirigeants quant à l'image de leur entreprise. J'aurais parfois envie de leur donner un cours de relations publiques 101, ou à tout le moins une formation en décoration intérieure.

Mais c'est en voyant l'homme que je dois interviewer aujourd'hui que je constate la véritable ampleur de l'océan de Jell-O dans lequel j'aurai à me débattre. Le voilà qui s'avance vers moi à la vitesse d'une tortue, vêtu d'un complet beige démodé assorti d'une cravate que l'on jurerait ressortie d'un coffre poussiéreux datant du siècle dernier... ou plutôt, de celui d'avant. Ça promet ! Aucun doute, ma course en pleine gélatine doit débuter MAINTENANT. Commence à pédaler, fille !

Premier truc: une poignée de main énergique dans l'espoir de lui transmettre un peu de dynamisme. Mais la moiteur de sa main démontre bien que c'est plutôt la nervosité qui risque de prendre le dessus.

Deuxième truc: Tenter de le rendre à l'aise en discutant de tout et de rien tandis que le caméraman installe son matériel. Encore là, je ne sens toujours pas mon invité très réceptif.

Ça y est, Yves est prêt à tourner et je n'ai pas encore réussi à le mettre le pauvre homme à l'aise. Je comprends alors que la grande randonnée cycliste dans le Jell-O m'enfoncera plus creux que prévu et que le pédalage pour une remontée en surface risque d'être long et pénible. Si la caméra est maintenant en fonction, mon invité, lui, semble toujours à *off*. J'utilise donc une panoplie de stratégies visant à le rendre un peu plus vivant.

Hausser mes sourcils en le regardant droit dans les yeux : cela donne l'impression que mon regard est plus profond et que je m'intéresse davantage à lui. J'espère ainsi accrocher son attention.

Opiner de la tête : se sentant alors mieux écouté, l'invité pourrait s'ouvrir un peu plus.

(Rien ne semble fonctionner. Jell-O : 1, Annie : 0.)

Esquisser un sourire charmant : ça désarme !

Changer mon rythme de voix : en le rendant un peu plus rapide, je pourrais stimuler le sien.

(Toujours rien. May day, may day ! Ma bicyclette s'enfonce, là…)

Gesticuler en posant mes questions : en lui donnant l'exemple, je pourrais l'inciter à habiter un peu plus son corps.

Me pencher vers l'avant : voyant que mon corps entier bouge, il se sentira peut-être autorisé à ne pas rester figé comme une carpe en gelée.

(Toujours rien.)
Non mais, qu'est-ce qui lui faut ? Que je me mette à danser, ou bien à faire des flip-flops comme une gymnaste ? Sans blague, si ce type ne bougeait pas au moins les lèvres, j'aurais probablement le réflexe d'appeler la morgue pour qu'on vienne récupérer son corps. Qu'est-ce que je pourrais bien faire d'autre pour sauver la situation ?

Oh ! Et puis merdouille ! J'abandonne.

(Preuve irréfutable de mon abominable échec : Yves vient de s'endormir !)

Un invité peu commun

— Annie, viens ici, faut que je te raconte…

Jamais, au grand jamais je n'ai vu un caméraman rire de la sorte. Le pauvre a de la difficulté à respirer et se plie en deux tellement les crampes lui tordent le ventre. Entre deux fous rires, il tente de m'expliquer ce qui vient de se passer lors d'une entrevue. Le moins que l'on puisse dire, c'est que leur invité était bien spécial.

— Le gars était énorme.

D'accord, mais un invité obèse n'est pas chose rare. Qui plus est, ce n'est pas du tout le genre d'Yves de rire d'une caractéristique physique.

— Il était tout rouge et tellement essoufflé que j'ai vraiment cru qu'il allait faire une crise cardiaque. Et ses vêtements étaient beaucoup trop serrés. Ses boutons de chemise ne fermaient pas, ni ceux de son veston, ajoute-t-il en riant de plus en plus.

J'imagine fort bien le type, pour avoir déjà croisé à quelques reprises ce genre de personnage. Mais encore une fois, je ne vois pas ce qu'il y a de si drôle.

— On aurait dit qu'il allait littéralement exploser et puis, et puis…

Yves n'en peut plus. Les larmes lui coulent sur le visage et il se passera un bon moment avant qu'il ne puisse me révéler le punch de son histoire.

C'est qu'une chose avait vraiment éclaté en milieu d'entrevue : la braguette de l'homme sur qui Yves braquait la caméra ! Trop nerveux, l'invité ne s'était pas rendu compte de l'incident et encore moins de la présence visible d'un de ses testicules qui pendouillait alors dans le vide. Heureusement, l'image n'était cadrée qu'à partir de la taille.

Le plus drôle dans toute cette histoire, c'est que la journaliste elle-même ne s'était rendu compte de rien puisqu'elle regardait son invité directement dans les yeux au moment de l'« explosion ».

Quant à Yves, il avait dû se retenir jusqu'à la toute fin, en feignant bien sûr de n'avoir rien remarqué.

Silence, on tourne !

Pourquoi les chemises de certains présentateurs de nouvelles paraissent-elles si merveilleusement droites et bien placées ?

Croyez-le ou non, le truc réside dans leurs sous-vêtements ! Ces messieurs enfilent d'abord leur chemise pour ensuite placer leur caleçon par-dessus. Puis, ils la tirent le plus possible vers le bas. Stabilité assurée ! C'est d'ailleurs un truc que les dirigeants d'armées ou d'autres travailleurs en uniforme connaissent bien.

* * *

Toujours bien habillés, les présentateurs télé ? Il va de soi qu'ils vous montreront toujours un parfait agencement veston-cravate. Mais si vous pouviez jeter un œil en dessous de leur bureau, vous seriez être surpris d'apercevoir parfois une vieille paire de jeans.

* * *

Que fait-on lorsqu'un invité dépasse la journaliste d'au moins trois têtes ? On fait l'entrevue en position assise et derrière un bureau. On s'assure ainsi de ne jamais montrer le bloc de bois de 15 à 20 centimètres d'épaisseur glissé sous la chaise de la journaliste. Vous n'avez pas idée du nombre de fois où je me suis retrouvée juchée sur ce genre de « chaise haute ».

Jamais dos au public

Aujourd'hui, je commence très tôt puisque je dois couvrir les nouvelles de l'émission du matin. Heureusement qu'il n'y a pas beaucoup de monde pour assister à mon entrée en scène peu gracieuse.

— Pour l'amour du ciel, mais qu'est-ce qui t'arrive ?

En me voyant entrer, le technicien de son s'affole. Je peine à marcher tellement mon dos est barré. Je dois littéralement me retenir au mur pour continuer d'avancer. Mon collègue accourt précipitamment à ma rescousse.

— Es-tu tombée ?

— Pas du tout. J'ai simplement fait un faux mouvement hier soir.

Je me garde bien de lui avouer que « faux mouvement » est survenu tandis que je me brossais les dents ! Disons qu'une faiblesse au dos comme celle dont je souffre n'est certes pas le genre de blessure dont on se vante au moment de se faire engager en télévision.

— Tu veux dire que tu as passé toute la nuit dans cet état ? Tu es allée à l'hôpital j'espère ?

Les hôpitaux ne sont pas mon lieu de prédilection. Quand je ne souffre de rien de grave, je préfère mille fois les médecines douces. C'est donc aux doigts de fée de mon chiropraticien que je confierai la tâche de me remettre sur pied. En attendant, me voilà confrontée aux joies du direct. Dans moins d'une heure, je devrai couvrir les faits divers de la matinée. Le problème, c'est que tout doit s'effectuer en tournage extérieur, là où il n'y aura même pas moyen de m'appuyer contre un pupitre afin de m'assurer d'un minimum de confort.

— Attends-moi ici. Ne bouge surtout pas, d'accord ?

— Bouger ? Ah ça, vois-tu, je crois qu'il n'y a aucun risque !

C'est lorsqu'il revient, tout essoufflé, que je comprends finalement son plan. Non mais, quelle merveilleuse chose que d'avoir accès à un département d'accessoires, véritable caverne d'Ali Baba qui regorge de toutes sortes de trésors : costumes colorés, chapeaux melons ou excentriques, décors variés, objets banals ou insolites et pourquoi pas, même… un fauteuil roulant !

— Assieds-toi, vite !

On doit se dépêcher. Il pousse le fauteuil en vitesse jusqu'à la camionnette. Nous accusons déjà pas mal de retard, pur sacrilège dans le monde du direct. Dire que la génération de journalistes qui m'a précédée n'a presque jamais connu les émissions préenregistrées. À quelle énorme pression quotidienne fallait-il savoir résister !

Heureuse que la simple logistique du transport soit maintenant réglée, il me reste cependant un autre défi de taille à surmonter : me tenir droite semble relever de la pure fiction. À ceux qui prôneraient ici l'utilisation de puissants antidouleurs, il faut rappeler qu'à l'écran le regard forge 90 % de la crédibilité du présentateur. Le public n'est pas dupe. À force de nous accueillir chez lui tous les jours, il finit par si bien nous connaître ! Il suffirait d'un regard plus vitreux ou d'une bouche légèrement plus pâteuse qu'à l'habitude, pour que s'active la plus véreuse des machines à rumeurs. Non merci !

Une fois sur place, je suis au bord du désespoir. Mais c'est sans compter la débrouillardise de l'équipe technique.

— Reste assise dans le fauteuil. Je m'occupe du reste.

— Mais, le reportage doit se faire debout, protesté-je.

— Fais-moi confiance !

Et le caméraman de déployer la magie de son art. Le voilà d'abord qui abaisse à l'extrême son trépied pour se mettre à ma hauteur.

— Tout va se jouer dans le décor de fond, m'explique-t-il en réglant l'objectif. Il suffit de ne montrer aucun élément qui pourrait donner un repère de hauteur, par exemple une poignée de porte. Il faut surtout s'assurer que personne ne passe derrière toi durant ton topo. Je vais même placer la caméra en contre-plongée pour te faire paraître encore un peu plus grande.

Je ne peux pas croire ce que j'aperçois au moniteur. On n'y voit que du feu !

On doit maintenant changer de plan pour tourner le second reportage. Tandis que je m'interroge une fois de plus sur la façon d'y parvenir, mon magicien de l'image s'occupe à nouveau de tout.

— Crois-tu que tu pourrais rester debout si tu t'appuyais à la paroi du camion ?

— Probablement, mais je serais toute croche !

Je comprends à son regard qu'il a déjà prévu un plan B. Il m'indique alors l'endroit exact où je devrai m'appuyer ; sur une partie du mur neutre, c'est-à-dire de couleur unie qu'il rendra même un peu floue. Cette fois, mon collègue se prête à un jeu de contorsion assez inusité en penchant fortement la caméra de côté, créant ainsi l'illusion que je me tiens parfaitement droite.

C'est un fait bien connu qu'il ne faut jamais tourner le dos à la caméra. Mais qui eût cru que cette pièce d'équipement et son formidable maître puissent devenir les complices nous permettant d'en cacher la souffrance ? Les caméramans ne sont ni plus ni moins que les yeux du public. Paradoxalement, l'invisibilité de leur travail constitue la meilleure signature de leur œuvre. Ces êtres invisibles, prêts à nous prêter main-forte en toutes circonstances, deviennent parfois même des faiseurs de miracles. Des anges gardiens.

Et comme j'aurai besoin de ces mêmes anges lors de mon prochain défi! Ma tâche de journaliste risque en effet de drôlement se compliquer dans un avenir très proche. J'ai peine à croire que, dans quelques semaines, je deviendrai l'une des animatrices de l'émission *J.E.*

HEILLE, C'EST LA FILLE DE J.E!

Au salon de coiffure

Un tas de vieilles revues traîne sur une table, histoire de faire patienter quelques clientes à la tête couverte de bigoudis ou imprégnée d'une teinture fraîchement appliquée. Trois dames attendent que leur métamorphose soit complétée. L'une d'entre elles agrippe l'un des magazines dans lequel j'avais accepté d'accorder une entrevue. La femme regarde sa voisine la plus proche et lui montre la photo :

— Vous la connaissez ?

— Euh… non.

— C'est la fille de *J.E.*

— Ah oui… Jocelyne Cassegrain ?

— Non, non… pis c'est pas ça son nom à elle, non plus.

— Vous voulez dire Jocelyne Cazin, interrompt la coiffeuse.

— Oui, oui, c'est ça. Mais Jocelyne elle, c'est celle d'avant. Comment elle s'appelle déjà, la nouvelle ? La petite brune, là.

Assise un peu plus loin, une troisième cliente intervient à son tour.

— Je pense que vous parlez d'Annie Gagnon.

— Ben oui, c'est ça, merci madame ! Annie Gagnon.

Elle feuillette les pages pendant quelques secondes puis, en bonne bavarde, recommence bien vite à déblatérer :

— J'ai entendu plein de choses sur elle, vous savez, dit-elle en se penchant un peu vers sa voisine.

— Ah oui ? Comme quoi ?

— Ben, regardez-la. C'est évident, non ?

La deuxième femme fronce les sourcils en scrutant les photos d'un peu plus près, mais sans deviner de quoi l'autre peut bien parler.

— Qu'est-ce qui est évident ?

— C'est pas des vrais…

— Vous pensez ?

— Ben oui, regardez comme il faut. Ça, madame, c'est du silicone. Pis je le sais de source sûre. Je connais une femme qui a une amie qui l'a vue dans le bureau de son chirurgien plastique.

La troisième dame, plus discrète, n'ajoute rien. Peu de temps après, de retour chez elle, elle décroche le téléphone.

— Allô, Annie ? C'est tante Juliette. Tu ne devineras jamais tout ce que j'ai appris sur toi au salon de coiffure aujourd'hui…

Invitation par courriel

Chère Annie,

Je profite de ce courriel pour vous dire à quel point j'aime vous voir à la télé. Je voudrais vraiment prendre un café avec vous.

Chère Annie,

Vous n'avez pas répondu à mon invitation. Je souhaite vraiment, vraiment vous connaître. Quand pourrions-nous nous rencontrer ? Je suis l'homme qu'il vous faut, laissez-moi seulement la chance de vous le prouver.

Chère Annie,

Je réitère ma volonté de vous rencontrer. Je veux vraiment, vraiment vraiment aller prendre un verre avec vous. Répondez-moi, je vous en prie.

Cher Sébastien,

D'accord. Mais j'insiste alors vraiment, vraiment, vraiment, vraiment pour que mon conjoint se joigne à nous lors de cette rencontre !

Souriez, vous êtes filmé !

Me voilà dans un commerce. Pour éviter de me faire reconnaître, j'enfile une casquette et d'épaisses lunettes de soleil. Je traverse l'allée pour me rendre directement au comptoir des viandes. On m'a dit que c'était dans cette section en particulier que je risquais de dégoter quelque chose de fort intéressant. Malheureusement, une cliente m'accoste au passage :

— Excusez-moi, est-ce qu'on se connaît ?

Si seulement je pouvais recevoir un dollar à chaque fois que j'entends cette phrase…

— Non, je crois que vous faites erreur.

— Pourtant, je suis certaine que oui.

De grâce, non ! Le temps presse et j'aperçois déjà le commerçant, l'air songeur, qui louche en ma direction. Je crois qu'il m'a reconnue. Le voilà qui s'approche.

— Est-ce que je peux vous aider, madame ?

— Non, ça va, je vous remercie.

Je n'ai nulle envie qu'il me reconnaisse. Pas aujourd'hui. Les enjeux sont trop grands. J'en veux à cette passante trop curieuse qui vient probablement de vendre la mèche et d'éveiller les soupçons. Je me rends donc d'un pas décidé vers ce réfrigérateur à viandes. Zut, l'homme récidive et se dirige à nouveau vers moi.

— Qu'est-ce que vous cherchez, au juste ?

— On m'a dit que vous aviez du saucisson épicé.

— Oui, et alors ?

— Eh bien… j'en voudrais un.

— Pourquoi ? Vous voulez le faire analyser ? Vous pensez peut-être que je ne vous ai pas reconnue ? Vous êtes l'animatrice de *J.E.* Vous pouvez bien prendre toute la viande que vous voulez, vous ne trouverez rien.

Je sais. Je voulais simplement éviter les conversations inutiles parce que, ce soir, je reçois la visite de ma famille du Témiscamingue et qu'il me reste moins d'une heure pour leur concocter ma succulente pizza dont elle raffole. Voilà la seule raison pour laquelle je ne souhaitais pas me faire reconnaître : je manque de temps ! Alors, que le monde entier le sache enfin : l'animatrice d'une émission d'affaires publiques ne transporte pas de caméra cachée ni ne mène elle-même des opérations d'infiltration. Elle ne va pas non plus acheter elle-même les produits douteux. Jamais ! Nous sommes parfaitement conscientes de la méfiance que notre présence susciterait dans les endroits frauduleux ou insalubres.

Heureusement, nous disposons généralement de très bons recherchistes, inconnus du public, et qui savent fort bien se charger de ces tâches délicates. Ces précieux collaborateurs se présentent sous toutes les formes : petite femme rondelette à lunettes, grand chauve à moustache ou encore jeune fille aux allures de top modèle. Bref, impossible de les repérer. Et nos caméras ? Alors là, croyez-moi elles sont petites. Très petites.

Sans vouloir trahir les secrets du métier, disons simplement que les choses ont bien changé au cours des dix dernières années. Je me souviens encore d'un temps pas si lointain où nos infiltrateurs devaient porter une veste souvent trop chaude pour la saison et où l'objectif de la caméra se camouflait sous l'apparence d'un minuscule bouton cousu sur l'une des poches avant. Personne ne pouvait non plus apercevoir cette pochette fabriquée dans la doublure intérieure du veston, et conçue de manière à y cacher un ordinateur pesant une dizaine de livres.

Ce système comportait un grand inconvénient technique : celui ou celle qui le portait devait le réinitialiser environ toutes les trente-cinq minutes. S'il convenait parfaitement pour une infiltration de très courte durée, il devenait absolument pénible lors des missions de plusieurs heures ou de journées entières. Non seulement nos partenaires revenaient-ils alors avec le dos en compote, mais certains ont dû prétexter devoir aller si souvent aux toilettes que les gens qui faisaient l'objet de l'enquête les croyaient affectés d'une infection urinaire !

Eh oui, les temps ont bien changé ! Mais ce qui ne change pas, c'est que je ne fais pas de caméra cachée ! À vrai dire, je n'ai essayé qu'une seule fois, au tout début de ma carrière d'animatrice. Et malgré mes nattes d'écolière improvisées, un chapeau, des jeans délavés et une épaisse paire de lunettes de soleil, on m'a démasquée.

Comme quoi il ne faut jamais surestimer ses talents de comédien… et encore moins se prendre pour Arturo Brachetti. Une journaliste reste une simple journaliste !

Tempêtes de neige

— Vous ne le regretterez pas, me dit le propriétaire de l'entreprise de déneigement tandis que j'appose ma signature au bas du contrat.

— On se revoit à la première tempête de neige alors, réponds-je en lui serrant la main.

Première tempête…

Pas de veine! Notre nouveau dossier n'a pas dû être informatisé convenablement. L'homme se confond en excuses. Bon, disons qu'une erreur, ça peut arriver.

Deuxième tempête…

Machinerie brisée.

Troisième tempête…

Aucun signe de l'homme en question.

Évidemment, il vient de perdre le contrat et j'exigerai sous peu un remboursement. Tiens, parlant du loup, le voilà justement qui se présente à ma porte en se confondant en excuses. Il tient un beau discours dans le but de m'amadouer un peu.

— Vous êtes une cliente importante pour moi vous savez. C'est juste que j'ai eu un peu de malchance.

Il ignore sans doute que le batifolage de la victime ne fonctionne pas vraiment avec une femme comme moi.

— Il faut me donner une chance, je vous jure que je vais faire mieux.

Pas difficile en effet de faire mieux que de laisser quatre pieds de neige devant mon entrée. Argument nettement insuffisant…

— Je respecte beaucoup votre travail, vous savez. D'ailleurs, je dis à tout le monde que j'ai l'honneur de compter l'animatrice de *J.E.* parmi mes clientes.

La phrase de trop! Cet homme est-il idiot au point de me croire aveuglée par son manège? Il pense me flatter dans le sens du poil, mais vient au contraire de me faire redresser l'échine à la manière d'un chat enragé. Je réalise qu'à mon insu, ce charlatan s'est carrément servi de moi pour s'attirer de la clientèle! Alors non seulement vient-il de perdre un contrat, mais encore se mérite-t-il une jolie mise en demeure signée de mon avocate et lui interdisant d'utiliser mon nom à ses fins publicitaires.

Non mais, quel culot quand même!

DES MENACES...
TOUJOURS DES MENACES.

Un déménagement insolite

Impossible d'animer une émission de journalisme d'enquête visant à prendre des malfaiteurs en défaut, sans s'exposer du même coup à des menaces. On finit pourtant par s'y faire et même les considérer comme une simple banalité. Après tout, les aboiements les plus aigus n'appartiennent-ils pas le plus souvent à des jappeurs de petite taille ? Mais pour une raison obscure et malgré nos serments personnels, la toute première menace de morsure nous paraît toujours un peu plus effrayante. Comme plusieurs histoires, celle-ci débute par un courriel se démarquant un peu des autres. Une dame se plaint d'avoir été flouée par un déménageur qui lui aurait dérobé tous ses meubles. Sans même m'en rendre compte, ma première réaction s'exprime à voix haute.

— Ben voyons donc, c'est impossible, ça !

Ça paraît en effet bien trop gros. Un meuble faussement déclaré volé par des déménageurs qui prétexteraient n'avoir rien vu en s'affairant à monter le reste du chargement passerait encore. Mais tout un ameublement ? Cette femme doit fabuler. Ce ne serait d'ailleurs pas la première fois qu'un internaute invente une histoire dans un but de vengeance personnelle. On reçoit ce genre de courriels régulièrement. Comment les distinguer ? Encore une fois, il faut faire confiance à notre petite voix intérieure. Tout se lit dans le ton, dans le choix des mots, dans les nuances subtiles qu'un œil exercé sait observer et dans l'analyse des moindres contradictions du texte. Je souris à l'idée que les journalistes d'enquête auraient pu faire d'excellents profileurs du FBI. Justement, cette fois-ci ma petite voix me pousse à vouloir creuser l'affaire un peu plus loin.

Après vérification auprès de la plaignante, force est de constater qu'elle est des plus crédibles : des explications claires, un résumé des faits sans anicroche et aucun antécédent personnel avec l'intimé. De plus, elle passe le test des « mêmes questions posées différemment ».

Il s'agit ici d'un truc journalistique vieux comme le monde et dont on se sert souvent. Il suffit d'intégrer aux prochaines questions certains éléments que l'on croit faux et que l'on cherche à vérifier sans éveiller les soupçons. Par exemple, admettons qu'un pseudo-héros, qui tente de vous faire avaler qu'il s'est mis à la poursuite d'un voleur mentionne dans son récit qu'il a enjambé une clôture dans le but de le rattraper. Vous l'écoutez puis, quelques questions plus tard, vous lui demandez :

— Oui mais, quand vous avez ouvert la porte de la clôture en courant après lui, personne dans la cour voisine n'a eu le courage de vous venir en aide ? (Ici, on déforme le fait énoncé de manière subtile). Ils ont vraiment eu le culot de vous laisser seul dans une situation aussi dangereuse ? (On attire rapidement l'attention sur un autre détail). Qu'est-ce que vous pensez de ces gens-là ? (On pose une question qui diffère de l'énoncé à vérifier, pour lui faire croire qu'on l'amène sur un autre terrain).

En amenant le menteur vers une destination flatteuse de son orgueil, vous lui donnez d'emblée toute la corde nécessaire pour se pendre. Vous risquez alors d'obtenir une réponse comme :

— Je ne vous le fais pas dire madame. PERSONNE n'est venu. J'ai été obligé de me débrouiller tout seul.

Celui qui, au contraire, cherche à établir des faits véridiques, mentionnera plutôt qu'on a mal compris certains passages du récit et les reprendra plus en détail. Évidemment, histoire de jouer de prudence une seconde fois, on les comparera alors aux faits énumérés précédemment… et soigneusement pris en notes lors de la conversation initiale avec notre interlocuteur.

Dans le cas qui nous intéresse, puisque le témoignage de la dame se tient en tous points, je dois faire enquête. D'abord, vérifier l'historique de cet homme au plumitif, un registre judiciaire sur lequel tous les sommaires des offenses et des condamnations sont déposés. Un registre qui n'a rien de secret puisqu'il est public et que toute personne peut y avoir accès gratuitement en se rendant au Palais de justice, ou moyennant quelques frais si on préfère le consulter sur Internet. Les agences de presse et les médias payent généralement des frais annuels pour donner à leurs journalistes un droit d'accès illimité à ce service, car il s'agit d'un outil d'informations des plus valables. D'ores et déjà, je me rends compte que l'individu est loin d'être blanc comme neige. Je décide donc de lui passer un coup de fil :

— Bonjour monsieur. Je m'appelle Annie Gagnon. Je suis journaliste et j'aimerais vous poser quelques questions concernant une plaignante qui affirme que vous avez toujours ses meubles en votre possession.

Rapidement son ton monte, indice que l'homme se sent bel et bien pris au piège. Il n'a probablement pas idée par contre que notre conversation est enregistrée, car il est admis légalement que dès qu'une personne sait qu'elle parle à un journaliste, toute conversation peut être conservée et diffusée publiquement. Voilà l'une des raisons pour lesquelles, à moins bien sûr d'effectuer une infiltration, on se présente d'emblée en mentionnant faire partie de la profession. Cet individu doit ignorer ce détail pour oser terminer la conversation en ajoutant une menace du genre :

— Fais bien attention à ta personne. Il pourrait t'arriver quelque chose.

Il raccroche aussitôt. Cette première menace verbale et directement dirigée à mon égard m'ébranle. Que doit-on faire dans ces cas-là ? Prévenir la police ? Non. La solution journalistique réside plutôt dans un anglicisme que vous nous pardonnerez d'utiliser régulièrement en salle de presse : un *bust* !

Buster quelqu'un, c'est de le prendre sur le vif à l'aide d'une caméra, en allant à sa rencontre pour filmer sa réaction primaire à des questions impromptues. Notre visite s'effectue évidemment sans préavis. Ce charmant petit coucou, auquel il ne s'attend pas du tout, risque évidemment de déranger au plus haut point s'il y a quelque chose à cacher ou à se reprocher. Nul besoin ici d'obtenir des aveux complets. Voilà même toute la beauté de la chose ! Rien que le fait de tenter d'éviter notre présence démontre bien le malaise et par conséquent le mensonge. Faut-il rappeler que, chez l'humain, 80 % de la communication s'effectue de manière non verbale ?

Je viens justement d'apprendre que mon intimidateur doit passer en Cour au Palais de justice de Québec dans les jours suivants. Et même s'il doit s'y présenter pour une tout autre affaire, rien ne m'empêche de le *buster* pour celle des meubles non rendus à leur propriétaire.

Je ressens toujours une certaine crainte à la suite des menaces qu'il a proférées. Mais, il faut avoir vécu un *bust* pour comprendre toute l'adrénaline que cela peut également générer. On ressent un mélange de fébrilité et de plaisir hors du commun, un peu à la manière d'ambulanciers ou de pompiers qui partent en direction d'un appel urgent. Plutôt qu'au son des sirènes et à l'éclairage de gyrophares, notre intervention à nous se déroule sous l'œil d'une caméra mettant en lumière l'œuvre malveillante des fraudeurs de ce monde.

En même temps, on s'inquiète toujours un peu de la façon dont pourraient se dérouler les choses. Le monde dans lequel on vit est devenu tellement fou. Comparativement à plusieurs endroits publics, les Palais de justice n'exigent pas encore de fouilles systématiques chez les gens qui y pénètrent. Ce lieu regorge pourtant de criminels notoires, parfois violents, dont certains n'hésitent nullement à camoufler une arme sous leur coupe-vent ou un chandail ample. Les gardiens de sécurité de ces établissements parviennent à en confisquer régulièrement lorsque des querelles éclatent entre clans opposés. Dans notre société, il s'agit sans contredit du lieu de rencontre entre tout ce qu'il a de meilleur et de pire. Un paradoxe trop souvent oublié.

— Respire, ça va aller, m'assure le caméraman, qui, il faut dire, en avait vu bien d'autres.

Le voilà ! On vient de repérer notre homme dans un corridor, flanqué sans doute de son avocat puisque l'individu qui l'accompagne porte une toge. La caméra se braque sur lui et je commence à lui poser des questions. Curieux comme l'intimidateur semble soudainement bien moins brave qu'au téléphone ! Il se met à tourner comme un lion en cage, dans le but évident de fuir à fois la lentille qui le fixe et mes questions. Chaque fois que son corps se retourne, je me positionne directement devant lui. Étonnant de constater à quel point il a peur. Sa soudaine propension à « filer doux » s'explique sans doute par la présence de la caméra, et aussi de son avocat devant qui il serait nettement imprudent d'exploser de rage.

Je comprends alors pour la première fois la dynamique réelle qui s'installe lors d'un *bust*. Elle se résume assez bien dans l'expression : « Œil pour œil, dent pour dent… »

Œil : celui de la caméra contre un regard fuyant.

Dent : une menace de morsure contre le sourire narquois d'une journaliste qui a enfin réussi à compléter son boulot en démasquant un imposteur.

Et ça, ça me fait me sentir drôlement en vie !

— Ce type, madame, vend des espaces publicitaires sur napperons aux commerçants du coin. Pourtant, même après avoir payé, on ne voit jamais notre publicité apparaître nulle part.

Cette seule plainte n'aurait pas suffi à me convaincre qu'une enquête s'imposait. Mais comme ce marchand affirme que le fraudeur effectue ses démarches auprès de plusieurs commerçants locaux, il sera très facile de vérifier ces informations. Mes quelques appels suscitent les mêmes commentaires de la part de différentes victimes ayant été flouées :

— Ne m'en parlez pas ! Il a encaissé mon chèque, puis après je ne l'ai plus jamais revu.

— C'est un escroc de la pire espèce, affirme mon second interlocuteur. Il n'a jamais publié la publicité pour laquelle j'ai déboursé tous les frais.

— Heureux de savoir qu'une journaliste sérieuse se penche enfin sur la question, soupire un troisième marchand. J'espère que vous allez montrer le visage de ce bandit au grand public.

Bon ! Le moins qu'on puisse dire, c'est que j'aurai respecté le principe journalistique exigeant de vérifier la source initiale et d'aller en chercher, si possible, une seconde. Chaque personne à qui je parle s'empresse de me référer une connaissance qui aurait subi le même sort. Impossible de se tromper. Cet homme est un fraudeur qui ne mérite rien de moins qu'un *bust* en bonne et due forme.

Nous arrivons devant l'édifice où sont situés ses bureaux, dans un quartier d'affaires de Longueuil. Le bâtiment se trouve dans un mini-centre commercial. Il faut monter au deuxième étage. Je me sens à la fois soulagée et un peu coupable de ne pas pouvoir aider le caméraman, qui lui doit toujours grimper en transportant de l'équipement lourd. Pas étonnant qu'avec les années, plusieurs finissent par développer d'importants maux de dos ou encore de sévères bursites aux épaules.

Nous voici devant la porte. Je cogne. Pas de réponse.

— Il y a quelqu'un ?

Finalement, un beau grand monsieur vient nous répondre. Lorsqu'il ouvre la porte, il a l'air d'un gentleman avec son complet digne d'une carte de mode et sa cravate magnifiquement agencée. La classe, quoi.

Cette brève illusion ne durera que quelques secondes. Aussitôt que je me présente et qu'il aperçoit le caméraman, l'homme devient agressif. Plaçant une main sur la lentille, il pousse mon compagnon de l'autre. Je m'interpose tandis que le caméraman continue à filmer. J'ai une sensation de déjà-vu, mais j'avoue qu'une telle réaction, prévisible de la part d'un motard, me prend de court venant d'un homme d'apparence si élégante.

L'expérience vient de m'apprendre de ne jamais me fier aux apparences. Des gestes agressifs peuvent aussi bien provenir de la part d'un voyou de la rue que d'un charlatan bien vêtu. Cet homme deviendra d'ailleurs, dans les années suivantes, un habitué de l'émission. Pour ma part, je crois avoir compris la leçon.

La poursuite

Montréal, angle du boulevard de Maisonneuve et de la rue Amherst

— 9-1-1, quelle est votre urgence ?

— Un homme est en train de me menacer. Il a frappé ma voiture avec la sienne et a tenté de s'enfuir, mais là il est revenu.

— Est-il encore dans son véhicule ?

— Non, il vient d'en sortir. Moi je suis dans ma voiture.

— C'est lui que j'entends crier madame ?

— Oui. Il s'approche vers moi avec quelque chose dans les mains.

— Laissez vos fenêtres fermées et vos portières verrouillées. Les policiers sont en route.

Tout a débuté à quelques pâtés de maisons de là, tandis qu'une voiture située devant la mienne effectuait son arrêt obligatoire. Je n'avais évidemment d'autre choix que de ralentir moi-même jusqu'à l'immobilisation complète de mon véhicule. Comme tous les matins, je me rendais au boulot, selon mon trajet habituel. Puis, il y a eu cet impact arrière. Une brève secousse, Dieu merci, sans grande conséquence, mais suffisamment forte pour que je ressente un choc nettement désagréable. Rien de bon pour mon dos déjà hypothéqué.

Tout aurait dû se terminer par la simple rédaction d'un constat à l'amiable. Me voilà même sur le point de sortir pour constater les dégâts lorsque, soudain, j'entends crisser des pneus. Le conducteur fautif vient de reculer, mais rien que le temps de prendre la distance nécessaire pour ensuite repartir à toute vitesse. Il dépasse ma voiture, ainsi que celle de devant, en roulant sur la gauche. Son dépassement s'effectuant en sens inverse de la circulation, il provoque la colère de nombreux conducteurs qui font hurler leurs klaxons. En passant à côté de moi, il ne manque pas de me jeter un regard des plus réprobateurs. Ce bref instant ne me suffit malheureusement pas pour distinguer correctement les traits de son visage.

Qui est cet individu ? Un fraudeur ou un criminel mécontent de l'un des mes reportages ? Un homme qui, cette fois, aurait décidé de mettre ses menaces à exécution ? Si tel était le cas, cela signifierait qu'il m'aurait suivie. Tout se passe trop vite pour que je puisse noter son numéro de plaque. Par réflexe professionnel ou simplement par trait de caractère, je me lance à sa poursuite.

> — Si tu penses t'en tirer comme ça, tu ne sais vraiment pas à qui t'as affaire !

Je veux savoir de qui il s'agit, et surtout coller les autorités policières à ses trousses. Je fouille dans mon sac pour agripper mon cellulaire, tout en prenant soin de ne pas perdre le fuyard des yeux. À elle seule, ma main libre n'arrive cependant pas à positionner adéquatement l'appareil pour réussir à composer le numéro d'urgence.

Le chauffard effectue soudain un brusque virage à droite pour s'engager sur le boulevard de Maisonneuve, lequel s'oriente uniquement en direction ouest, ce qui lui enlève la possibilité d'une seconde fuite en sens inverse.

Près de la rue Amherst, la circulation devient beaucoup plus dense. Le voilà pris au piège et incapable de continuer sa route. Ma voiture se trouve maintenant presque au niveau de la sienne. Je descends ma vitre pour lui crier :

— COLLE-TOÉ !

J'avoue que dans ces moments-là, mes vieux professeurs de diction pourraient se retourner dans leur tombe…

L'homme sort de sa voiture, sans doute pour s'enfuir à pied. Par mesure de précaution, je décide alors de me garer près du trottoir.

Après tout, fournir une description physique et un numéro de plaque suffira amplement. J'ai enfin le temps de le voir ; dans la trentaine, d'hygiène douteuse et avec des cheveux en pics dressés bien droits sur la tête. Le genre de fils que toute mère rêve d'avoir, quoi !

À ma grande surprise, il reste sur place. Et le voilà qui se met littéralement à arracher son pare-chocs endommagé par l'impact précédent et qui le jette violemment en pleine rue. Il crie comme un possédé. J'arrive enfin à composer le 9-1-1. Je l'entends vaguement crier quelque chose comme :

— T'as pas le droit…

Comme j'ai promptement remonté ma vitre et que je m'affaire à expliquer la situation à la préposée aux appels d'urgence, je ne décode pas le reste. Pas le droit de quoi au juste ? Je l'ignore. Mais sa réaction suivante ne me dit rien qui vaille. Il remonte dans sa voiture pour venir la stationner juste derrière la mienne. À partir de mon rétroviseur, je le vois agripper un objet dans son coffre à gants. De quoi s'agit-il ? D'une arme à feu ? Il ressort et pointe l'objet en ma direction. Si vraiment il s'agit d'un revolver, les directives émises de la téléphoniste du 9-1-1 ne serviront plus à rien. Il hurle toujours de rage en s'approchant d'un air menaçant.

Je distingue enfin ce qu'il tient dans les mains. Un simple appareil photo ! Cet imbécile est en train de prendre des clichés de moi en criant :

— Tu n'as pas le droit d'être au volant avec un cellulaire ! Pis je vais avoir des preuves contre toi.

Les policiers arrivent enfin pour mettre cet hurluberlu, visiblement intoxiqué, en état d'arrestation. Cette fois-ci, les menaces n'avaient aucun rapport avec mes reportages. Quant à moi, c'est bien la première fois de toute ma vie que je peux dire qu'une caméra m'ait donné la frousse.

Chiens de garde

Il nous faudra ici redoubler de prudence puisque le caméraman et moi nous rendons dans un lieu d'élevage de chiens. Mais pas n'importe quels chiens. Véritables molosses, ces *cane corso* peuvent aisément peser plus de cinquante kilos, parfois même soixante. Dotés d'une force hors du commun, ils servaient autrefois aux Romains à repousser les lions dans leurs lieux de confinement une fois quelques savoureux Chrétiens dévorés. Alors mieux vaut rester sur nos gardes, au cas où le maitre déciderait de nous prendre à partie.

La raison de notre visite : les chiens de plusieurs clients étaient tombés gravement malades, et certains étaient même morts. Certains propriétaires doutant également de la pureté de la race de la bête récemment acquise avaient décidé de nous mettre sur la piste. En fouillant un peu, nous avions constaté la grande facilité avec laquelle on pouvait obtenir de faux documents d'enregistrement sur Internet. Rien qu'à la lueur de ces renseignements, une visite s'imposait. Nous voilà donc prêts à poser quelques questions à la responsable de ce centre d'élevage.

Vrrrrrrroum !

Des bruits nous surprennent : le vrombissement du moteur d'un véhicule tout-terrain qui arrive en trombe, accompagné d'une bonne demi-douzaine de chiens haletants qui courent derrière. Au début, la dame semble vouloir collaborer. Mais tout journaliste d'expérience vous dira qu'il peut s'agir là d'une ruse visant simplement à l'amadouer. Plus de la moitié de nos menteurs commencent d'ailleurs leur pavane de cette manière. Mais lorsqu'ils comprennent que cela ne fonctionne pas, que notre instinct de terrain nous garde bien aux aguets, c'est là qu'ils craquent. Et c'est précisément ce que cette femme est en train de faire. Elle qui, quelques minutes à peine auparavant, nous invitait à visiter l'élevage, semble devenir de plus en plus nerveuse. Peut-être regrette-t-elle d'avoir poussé la comédie un peu trop loin en nous ayant fait pénétrer dans sa résidence ?

Quoi qu'il en soit, voilà qu'elle adopte un tout autre ton. Sa voix initialement charmante fait maintenant place à des tonalités manifestement irritées, voire agressives. Plus je lui pose des questions, plus son ton change.

— Madame, vous me montrez des papiers américains, italiens et français. Mais les associations d'éleveurs nous confirment qu'ils n'ont ici aucune valeur.

Pour toute réponse, elle se fâche en refermant brutalement le cartable. Ses paroles empruntent alors un ton tout à fait cynique.

— Voulez-vous apporter ces papiers-là avec vous autres ? Tiens, je vous donne tout ça, dit-elle en poussant les documents vers moi. C'est ça que vous voulez avoir ?

D'emblée, je tente de calmer le jeu en l'invitant poliment à s'asseoir dans le cadre d'une entrevue en bonne et due forme où elle pourrait aisément faire valoir son point de vue. Je sens alors la tension monter d'un cran, et son discours se termine ainsi :

— Je n'ai pas besoin de m'expliquer à vous. Vous n'êtes pas la police !

D'habitude, quand on entend ce genre de phrase, on devine fort bien qu'il y a anguille sous roche. Sinon pourquoi un interlocuteur ferait-il référence aux autorités policières ? Je continue donc à l'interroger sur la validité des documents. Et là, elle éclate :

— Si vous pensez que mes papiers ne sont pas corrects, dites-le et c'est tout.

Sur cette dernière phrase, elle me somme cavalièrement de sortir en m'assénant une forte poussée derrière l'épaule. Et tandis que je franchis le pas de la porte, elle me surprend d'un solide coup de pied au popotin...

Je ressens une vive douleur, vu mon dos très fragile.

— Calmez-vous, madame !

— Sors, as-tu compris ? Là, je t'avertis, tu sors de ma cour, ma grande, réplique-t-elle en me suivant et en me pointant le doigt à la figure.

Bon, là ça va faire ! Mon seuil de tolérance est nettement dépassé. Je fais face à la belligérante. Mais je dois garder la maîtrise de moi-même, ce qui n'est pas facile. J'aurais tellement envie de lui foutre une baffe bien méritée. Comment me contenir ? Facile! Je réalise en effet que je suis plus grande qu'elle, surtout avec mes bottes à talons hauts. Alors, je l'imagine comme un vulgaire et minuscule chihuahua en état crise. Chacun de ses mots résonne dès lors dans mon esprit comme les aboiements aigus et irascibles d'une petite bestiole hystérique. Mon calme retrouvé, je l'informe que je pourrais porter contre elle des accusations de voies de fait.

En semblable situation, il faut TOUJOURS s'assurer qu'il n'y en ait qu'un des deux qui perde la boule !

* * *

Une semaine plus tard

Qui l'eût cru ? Une mise en demeure ! La dame exige maintenant une entrevue formelle.

Pas de problème, puisque c'est précisément ce je voulais obtenir d'elle au départ. Je compte donc respecter son droit de s'exprimer et diffuser ses commentaires de manière professionnelle. Elle veut donner sa version des faits sur la légalité de ses documents et en a parfaitement le droit.

Mais pas question non plus de cacher la première partie du reportage. Elle devra assumer les gestes violents qu'elle a posés à mon égard et les revoir à l'écran.

Le public tout entier les verra aussi. Il y a tout de même une limite à l'impunité des gestes qu'on pose à l'endroit des journalistes. Et moi, c'est ici que je la trace !

Au-delà des simples menaces

Il existe dans le milieu journalistique une loi non écrite selon laquelle, lorsqu'un reporter est tué, blessé ou porté disparu, ses collègues cherchent et fouillent sans répit, dans le but avoué de produire des articles et des reportages pour faire la lumière sur les événements et dénoncer les coupables. À travers le monde, il arrive que, pour éviter aux dénonciateurs de s'exposer aux représailles, l'article soit alors signé au nom du journal plutôt que par celui de son véritable auteur.

S'il est vrai que les journalistes d'enquête du Québec sont souvent victimes de menaces ou d'intimidation, il demeure heureusement rarissime que des conséquences graves en découlent. Le métier n'en demeure pas moins dangereux et il serait faux d'affirmer que les journalistes québécois ou canadiens sont à l'abri. Tout au long de ma carrière, des salles de nouvelles, pourtant semblables à celles où j'ai œuvré, ont connu leur lot de drames. À chaque fois, on en a ressenti les secousses. Je pense bien sûr ici à Michel Auger, journaliste montréalais affecté à la couverture du crime organisé qui, au matin du 13 septembre 2000, fut atteint de deux projectiles alors qu'il s'apprêtait à entrer dans ses locaux de travail. La première balle s'était logée près du cœur et la seconde, dans le dos.

Personne n'oubliera non plus le décès de Michelle Lang. Le 30 décembre 2009, cette jeune journaliste canadienne de 34 ans de Calgary, belle comme une rose et fiancée à l'homme de sa vie, venait de prendre place dans un véhicule blindé de l'armée canadienne en Afghanistan. Elle devait, en principe, passer six semaines dans ce pays tourmenté par les conflits et où la présence journalistique s'avère primordiale. C'est lors de cette toute première affectation à Kandahar que son tombeau roulant a passé sur une bombe artisanale.

Dans ma propre salle des nouvelles, j'ai tressailli en voyant les images de mon collègue Richard Latendresse, affecté à cette même zone infernale, cesser de parler au beau milieu d'un reportage pour aller s'abriter alors que les balles lui sifflaient aux oreilles. Pendant une seconde, on aurait dit que mon cœur venait de cesser de battre.

Le 22 août 2007, alors correspondant de Radio-Canada, Patrice Roy survécut à une attaque des talibans. Grièvement blessé, son camé-raman, Charles Dubois, devra se faire amputer une jambe quelques heures plus tard. Au moment des faits, tous nos confrères de la SRC parlent de cet accident. Comme il n'est plus question ici de com-pétition entre réseaux, ils acceptent de nous accorder des entrevues où on apprend que Patrice a mis fin à sa mission pour accompagner son collègue dans un hôpital en Allemagne. À la guerre, la règle de ne jamais laisser un compagnon d'armes derrière s'adresse tout aussi bien aux journalistes qu'aux soldats.

Depuis quelques années, la mort a aussi touché le sexe féminin. Au total, on estime que 4 % des journalistes tués sont maintenant des femmes. Des dames courageuses à qui je voue le plus grand respect. Or, il existe aussi un côté très sombre au journalisme féminin. En zone de conflit, on le sait, le corps d'une femme devient un objet de guerre et le viol, une façon de mater l'ennemi. Faut-il ajouter qu'aux yeux de ceux désirant ardemment cacher des vérités trop lâches, il n'existe de pire ennemie que celle munie d'une plume ? Combien de journalistes canadiennes ont dû se cacher sous une burka en Afghanistan, sans quoi elles auraient très certainement subi ce même outrage ? Je me souviens encore des propos de la journaliste Michèle Ouimet qui, au lendemain du décès de Michelle Lang, parlait de cette burka comme d'une prison certes, mais qu'elle jugeait plus sécuritaire qu'un véhicule blindé. Que de courage il faut pour être une femme reporter en zone hostile !

Au moment de rédiger cet ouvrage, la Fédération internationale des journalistes (FIJ), organisme représentant 600 000 membres à travers 34 pays, dénonçait non seulement le décès de ces six femmes, mais également l'accroissement du nombre de sévices sexuels, d'inti-midation et de discrimination observés envers les journalistes de sexe féminin au cours de la dernière année.

Tous sexes confondus, l'an 2013 aura vu s'éteindre pas moins de 108 reporters envoyés en mission. Ce nombre pourrait même être révisé à la hausse, car l'enregistrement des décès de journalistes est fort complexe et les organismes traitant ces données n'arrivent pas toujours aux mêmes chiffres. Et tout cela sans compter les 87 enlèvements relevés par Reporters sans frontières (RSF). On reste toujours sans nouvelles de plusieurs d'entre eux.

En ce qui concerne les blessés, on les compte par milliers. Et plusieurs journalistes indépendants (qui, faut-il le rappeler, ne bénéficient d'aucune couverture d'assurance), souvent partis en loups solitaires, resteront parfois parmi les oubliés de toutes ces listes.

À côté de la leur, mon histoire paraît bien pâle, n'est-ce pas ? Et si tout ce que j'ai subi ne se résume qu'à de vaines menaces téléphoniques, quelques escarmouches et un malencontreux coup de pied aux fesses, je fais véritablement partie des chanceuses de ce monde. Ce chapitre est dédié à tous les autres…

Je vais le menacer du doigt seulement, dit-il en le posant sur la détente.

— Stanislaw Jerzy Lec

UNE NOUVELLE QUI BOULEVERSE

Un diagnostic imprévu

Je me lève, ce matin-là, en devinant qu'il se passe quelque chose d'anormal. Je n'ai jamais ressenti auparavant d'inconfort aussi saisissant. Mon sein gauche est enflé et la douleur augmente significativement à la palpation. Hier encore, je m'étais mise au lit comme à l'habitude, sans savoir que, le lendemain, une nouvelle saisissante allait changer ma vie.

D'emblée, mon conjoint s'inquiète. Il connaît ma grande résistance à la douleur. Il en avait d'ailleurs été témoin le jour où, par accident, il m'avait sévèrement blessé la main en versant un chaudron d'eau bouillante dans l'évier. J'avais tout simplement voulu l'aider en retirant le bouchon, mais malheureusement trop tard puisqu'il déversait le liquide chaud au même moment. Ce mauvais réflexe de ma part m'avait valu une brûlure au deuxième degré. Pourtant, malgré l'intensité de la douleur, ma voix elle était restée calme et je n'avais même pas crié.

— C'est correct. Ce n'est pas grave. Fais vite couler l'eau froide, avais-je dit en agrippant ma main avec l'autre.

Et malgré le rétrécissement évident de la peau et la phlyctène protectrice qui la recouvrait, je n'avais pas crié. Je me suis contentée de tremper ma main dans l'eau fraîche quelques minutes, d'y appliquer un onguent antibiotique et de la recouvrir. Un pansement que j'ai évidemment dû retirer durant les enregistrements des émissions à venir et où ma main malade trouvait refuge derrière mon corps pour que rien ne paraisse à l'écran. C'était pourtant à ce moment, au contact avec l'air, qu'elle me faisait souffrir. Mais à la télévision, l'image doit avoir préséance sur nos problèmes personnels ou même médicaux…

Alors, pas étonnant que cette fois-ci, mon compagnon s'alarme un peu. On sait aujourd'hui qu'une femme sur six souffrira d'un cancer du sein au cours de son existence. Au cours des dernières années, les médias ont beaucoup couvert les campagnes de sensibilisation à cet égard. Et si la majeure partie de ces femmes ont atteint l'âge mature, il ne faut pas oublier que je viens moi-même de franchir le cap de la quarantaine.

— Va voir un médecin Annie.

Je ne suis pas convaincue. Ou peut-être n'ai-je tout simplement pas envie de connaître la vérité ? J'ai vu bien des femmes aux prises avec ce cancer, et sincèrement je ne tiens pas du tout à faire partie du lot. Le déni, sans doute. L'homme de ma vie, lui, insiste :

— Pas question de jouer avec ça, ajoute-t-il.

Son regard est sérieux. Michel est inquiet. Moi aussi.

Michel et moi sommes là, assis dans un bureau à attendre les résultats. On souhaite tous les deux en silence que ce médecin, un homme grand et grisonnant au début de la soixantaine, nous informe d'une fausse alerte. Au pire, un simple kyste au sein que l'on parviendra à retirer sans complications.

Le diagnostic tombe en moins de trois minutes. Un diagnostic qui va bouleverser ma vie de femme pour les années à venir.

Nous sortons du bureau, bouche bée. Il me tient par la taille et ne sait trouver les mots. Il se contente de me serrer dans ses bras. Sa présence me rassure. Je ne pourrais imaginer personne d'autre pour être à mes côtés en ce moment. Nous savons fort bien qu'il faudrait maintenant en faire l'annonce à ceux qu'on aime et également à mes compagnons de travail. Mais pour l'instant, je préfère ne rien dire. Sait-on jamais ce qui peut arriver. Nous préférons nettement rester discrets pour quelque temps. De toute façon, la saison de l'émission se tire à sa fin. Je veux m'assurer que tout ira bien avant d'en souffler mot à quiconque. Après tout, il faut être réaliste : tant de choses pourraient mal tourner.

* * *

— On doit l'annoncer à tes parents.

Michel a raison, il est temps de le faire. Nous vivons maintenant avec ce lourd secret depuis deux mois. Mes parents ont le droit de savoir. Mais comment leur annoncer qu'une chose pareille arrive à leur fille, à son âge ?

La route aurait pu sembler plus longue qu'à l'habitude. Michel craint que ce trajet puisse me fatiguer. Après tout, mon corps a récemment subi de drôles de transformations et je pourrais facilement ressentir un malaise en voiture. Mais ce que j'ai vécu ces dernières semaines fait en sorte de que je souhaite ardemment ce déplacement. On dirait que je ne vois plus les choses de la même manière. J'ai envie de profiter de chaque moment, de l'immortaliser comme en une photo unique et merveilleuse.

Nous voici enfin devant la maison de mes parents. Mon père ouvre la porte.

— Ah ! bonjour Michel, dit-il d'un air joyeux. Et toi, ma belle grande fille, comment vas-tu ?

Michel et moi nous croisons du regard. Entre temps, ma mère arrive dans le hall d'entrée.

— Nous quelque chose d'important à vous dire.

J'avais eu beau répéter le scénario dans ma tête des centaines de fois, les mots demeurent prisonniers de ma bouche. Je ne vois plus qu'une solution : lui tendre le document médical que l'on m'a remis lors de ma dernière visite en clinique. L'air songeur, mon père agrippe le papier de ses mains solides. Il ne saisit pas très bien l'importance de la situation. Ma mère penche elle aussi la tête et se met à scruter les résultats. Elle finit par comprendre et me regarde, ébahie. Mon père vient lui aussi de réaliser ce qui se passe.

> — Oh ! Tu es enceinte, ma petite fouine ! dit-il en analysant enfin la drôle de photo intra-utérine prise lors de ma première échographie.

> — Ben oui. Je vais avoir un ti-proutte !

Grossesse et télé

La joie de mes parents n'est pas unanimement partagée. Dans le milieu de la télévision, on estime qu'une grossesse peut déranger. Oh, les principaux intéressés ne vous en blâmeront jamais ouvertement. Mais on peut sérieusement se poser la question lorsqu'à la place de félicitations, une femme enceinte reçoit certains commentaires du style :

— Tu aurais dû nous l'annoncer avant.

Simple question d'image ! Devoir remplacer un visage connu le temps d'un congé de maternité risquera-t-il de déplaire au public ? Est-ce que l'arrondissement d'une silhouette que l'on apprécie svelte provoquera le mécontentement de certains téléspectateurs ? Un budget non prévu pour les vêtements de maternité ? Et si des complications se présentaient avant la date prévue du départ ? Bref, des considérations techniques et un remaniement du travail viennent un peu déranger les choses. On ne nous le dit pas. Mais on nous le fait ressentir. Un siècle de féminisme, pour en arriver là ?

On dit aussi que devenir mère nous fait voir les choses différemment. Est-ce à partir de ce moment que, justement, une graine de changement s'implante subtilement dans mon cœur ?

L'entrevue d'une vie

— Madame Gagnon, un appel pour vous, m'informe la réceptionniste qui désire me transférer la ligne.

Quoi encore ? J'accuse déjà du retard et je risque les fougues du *red-chef* d'un instant à l'autre. Il y a de ces jours où les problèmes techniques vous gâchent la vie ; ce matin la caméra a glissé des mains du caméraman et nous avons dû revenir à la station pour nous en procurer une autre. Évidemment, à la suite de ce retard la personne que je souhaitais interviewer n'est plus disponible et je dois maintenant faire des pieds et des mains auprès de son relationniste pour obtenir une entrevue dans l'heure qui suit. Si je n'y parviens pas, nous manquerons la nouvelle du jour, ce qui représente énormément de conséquences pour un diffuseur, dont celle de voir ses cotes d'écoute fondre comme neige au soleil.

— Je crois que c'est un appel important, insiste mon interlocutrice.

Celle-là, je vous jure, quand elle s'y met ! Les mains pleines de dossiers, je presse le bouton du haut-parleur pour lui parler tout en effectuant mon travail.

— Lysanne, prenez le message s'il-vous-plaît. Ce n'est vraiment pas le moment.

— Oui mais, madame Gagnon… c'est la Maison-Blanche…

La salle de rédaction paralyse. Un silence aussi lourd qu'une tonne de briques s'installe. Tous mes camarades me fixent. Je fige pendant quelques secondes pour ensuite me précipiter en vitesse sur le combiné.

— *Hello ! Oh, good morning Mister McClellan[12] !*

[12] — Oh, Bonjour monsieur McClellan

Malgré sa jambe dans le plâtre, un chroniqueur sportif part à la course avec ses béquilles jusqu'à l'entrebâillement de la porte de mon producteur, d'où je l'entends chuchoter :

— Viens vite, Annie est en train de parler à Scott McClellan… le porte-parole de la Maison-Blanche.

La conversation entre moi et McClellan coupe assez court. Disons que ces gens-là n'ont pas vraiment de temps à perdre.

— *Yes, sir. I'll be there tomorrow night. Thank you. Please say hi to the president for me. Good bye sir[13] !*

Seigneur, ai-je vraiment dit une chose aussi familière que : *Please say hi to the president for me* ? Qu'est-ce que je viens de faire là ? J'aurais dû utiliser une phrase comme : *Please tell the president how honoured I am of this invitation and give him my best regards[14]*. Je viens de violer à peu près toutes les règles protocolaires qu'exige une telle invitation. Le président Bush me convie en effet à la célèbre « soirée des journalistes », un événement rarissime où seule une vingtaine de journalistes sont choisis à travers la planète tout entière pour partager un dîner en présence du l'homme le plus puissant du monde. On peut évidemment profiter de cette soirée pour lui poser des questions en personne. Son porte-parole me dit que leurs chercheurs de tête du service des communications ont été impressionnés par quelques-uns de mes reportages et ma prestance à l'écran. Je ne savais même pas que certains d'entre eux pouvaient comprendre le français ! Tous mes collègues m'encerclent afin d'obtenir des détails alors que moi, je ne peux penser qu'à une seule chose.

— Mais… je dois partir immédiatement, dis-je complètement paniquée.

— Mais pas du tout voyons, dit le rédacteur en chef en tentant de me rassurer. Washington se trouve à peine à deux heures de vol.

[13] — Oui, monsieur. Je serai là demain soir. Merci. Dites bonjour au président de ma part. Au revoir, monsieur !
[14] — Veuillez dire au président combien je suis honorée de son invitation et présentez-lui mes hommages.

Deux heures de vol, je veux bien… mais avec mon ventre arrondi au point de réclamer sa délivrance dans moins de dix jours, impossible pour moi de prendre l'avion. Pas question non plus de conduire toute seule avec ces pieds enflés à un point tel que, depuis un mois, je dois porter des espadrilles au bureau à cause desquels les caméramans sont avertis de ne plus faire de plan complet sur moi. Et puis, il me faut le temps de m'acheter des vêtements convenables. Sans compter que je ne connais pas un seul coiffeur à Washington. Mon Dieu, mais qu'est-ce que je vais faire ? À la grande surprise de tous, et sans doute grâce à mes hormones de future mère atteignant des sommets vertigineux, je me mets à sangloter comme une Madeleine.

— Voyons, voyons. Cesse de pleurer, me supplie le rédacteur.

Ah ! Ces hommes journalistes ! Entêtés comme des mules, fiers comme des paons, mais incapables de supporter l'image d'une femme en pleurs.

— Fais-moi confiance, Annie. Je vais arranger ça. Tu as ton passeport avec toi ?

— Euh… Oui, comme toujours.

— Parfait ! André, il faut que tu trouves un topo pour remplacer celui d'Annie. Dépêche-toi, il doit être prêt dans une heure. Toi, Annie, tu m'attends ici.

Le confrère à qui revient la tâche ingrate de combler mon assignation devient rouge comme une tomate. Mais comme il est encore en période de probation, il se défend bien de rechigner. J'ai pourtant l'impression que, sitôt ce délai terminé, il me le fera payer cher. Très cher. Quant au patron, le voilà qui retourne en trombe dans son bureau, claque la porte et se met à composer frénétiquement sur son clavier d'ordinateur tout en tenant le combiné du téléphone entre sa tête et son épaule. Après quelques minutes, il en ressort encore tout rouge :

— C'est réglé. Le grand patron te prête sa limousine pour trois jours. Elle sera en bas dans une demi-heure. Ton habilleuse s'occupe de tout. Elle va t'acheter tous les vêtements nécessaires que nous t'enverrons à ton hôtel dès demain matin. Une maquilleuse et un coiffeur de la station t'accompagneront. Ah… et le chauffeur est bien averti de t'accorder toutes les pauses pipi dont tu auras besoin, ajoute-t-il en riant. Bon voyage !

Je n'en crois pas mes oreilles. Un vrai conte à la Cendrillon des temps modernes.

Je peux encore moins croire que, dès le lendemain, me voilà en direction de la résidence présidentielle, que je n'avais vue que dans les films. Le seul problème réside dans le tissu de ma robe, qui serre ma taille à la manière d'un corset des dames de cour du roi Louis XV. Je ne peux pas en blâmer l'habilleuse, car d'une journée à l'autre mon ventre prend une expansion inimaginable. La connaissant, je suis certaine qu'elle a même prévu quelques centimètres de plus que lors de mon dernier essayage. Mais la nature n'a-t-elle pas toujours force de loi ? Misère !

J'oublie pourtant tous mes soucis lorsque j'aperçois enfin la Maison-Blanche ! Au premier regard, je comprends d'emblée pourquoi il s'agit du bâtiment le plus photographié sur terre. J'approche de cet imposant édifice de grès, en pensant qu'il s'agit probablement de l'endroit où les représentants des médias ont du couvrir les décisions politiques les plus importantes des derniers siècles. C'est d'ailleurs dans le but de s'adapter à un nombre de plus en plus imposant de journalistes que Richard Nixon avait dû, en 1969, prendre une décision peu banale : celle de faire recouvrir sa piscine pour convertir l'endroit en une salle de presse. L'histoire se plaît à dire que, de toute façon, ce président peu sportif ne s'en servait vraisemblablement pas.

Me voilà à l'intérieur. Ai-je besoin de mentionner l'imposante restriction d'accès qui sévit en ces lieux, à moins bien sûr de porter le titre de président ou de Première dame ? Fichtre ! Que j'aurais aimé jeter un œil sur son bureau à elle. Je sais pertinemment qu'il existe et franchement, je me suis toujours demandé si elle laissait trainer un tube de rouge à lèvres sur son pupitre. Curiosité typiquement féminine, mais qui restera sans réponse puisque l'on m'escorte directement à la salle de réception.

Le grand moment arrive. Voici enfin mon tour de rencontrer le président. En bonne journaliste, j'ai préparé quelques questions dignes des meilleurs reporters. Je souhaite revenir au Québec et effectuer la tournée des médias pour faire part de ses réponses et de mon expérience au public québécois. Le couple présidentiel se tient à quelques pieds de moi à peine. C'est fou comme Georges Bush semble plus petit en personne. Laura Bush, elle, encore plus élégante en revanche. Alors que son mari semble déjà un peu blasé, elle fait figure de l'hôtesse la plus attentionnée derrière un magnifique sourire. Le maître de cérémonie me présente tandis que je m'avance au bras d'un jeune et solide militaire en habit d'apparat me servant d'escorte. Son physique à la spartiate me porte à croire qu'il s'agit d'un membre de la *Navy Seal*[15].

— Miss Annie Gagnon, a francophone reporter from Montreal[16].

Le grand moment arrive, celui dont rêve tout journaliste. Le président s'approche et me serre la main. Mais soudain, un trou de mémoire me foudroie. Le protocole exige-t-il que ce soit lui qui parle en premier ou dois-je le saluer d'abord ? On m'a pourtant bien expliqué toutes ces règles de bienséance lors d'une rencontre avec les responsables des communications pas plus tard que ce matin. Heureusement, le président m'épargne la disgrâce d'un tel oubli en m'adressant la parole :

— I have heard about your work, Miss Gagnon. Very impressive[17]…

[15] — Force spéciale de la marine de guerre des États-Unis.
[16] — Madame Annie Gagnon, journaliste francophone de Montréal
[17] — J'ai beaucoup entendu parler de votre travail madame Gagnon. Très impressionnant !

Tout à coup, c'est le drame. Je voudrais lui répondre, mais la seule chose qui sort de ma bouche c'est un cri suite à la sensation d'un éclair en plein ventre. Mes eaux viennent de crever en éclaboussant complètement les chaussures présidentielles et celles de ses gardes rapprochés. La Première dame, elle, a à peine le temps de faire un pas en arrière pour éviter la vague, tout en échappant à son tour un cri de surprise. Il n'en fallait pas plus pour alerter toute l'équipe de sécurité. En une seconde, l'orchestre cesse de jouer. Je comprends alors que les musiciens ont été strictement formés pour répondre instantanément au signal donné par le responsable de la sécurité, exigeant ainsi un silence brusque et rapide en cas d'intervention urgente et musclée. Or, la Première dame venait de crier et il n'en fallait pas plus pour que cette bande de chiens de garde se mette aux abois.

J'ignore si c'est la douleur, l'émotion ou simplement l'humiliation, mais mon cerveau décide de couper tout contact avec mon corps. Je m'évanouis.

Quand je reprends enfin connaissance, je suis allongée dans un lit. Mon conjoint est présent à mes côtés.

— Ça va, demande-t-il ?

— Oui, lui répondis-je en m'éveillant doucement. Mais la gynécologue avait raison, tu sais. C'est incroyable les cauchemars
idiots que l'on peut faire lorsqu'on est enceinte…

Libérez Barbie

Parfois, les gens confondent nos vies professionnelles et personnelles, et à plus forte raison quand nous acceptons de dévoiler quelques secrets au sein de magazines populaires. Récemment, à la suite de l'annonce de ma grossesse, j'y ai mentionné le prénom du futur papa de ma fille. Comme il se prénomme Michel, et que je travaille depuis peu avec le journaliste bien connu Michel Jean, une vague de confusion s'est installée dans la tête de certains téléspectateurs.

Il faut dire que la télé détient sa part de responsabilité à cet égard. Les partenaires sont en effet choisis en fonction de l'image d'harmonie qu'ils projettent à l'écran. Idéalement, l'animateur dépassera sa consœur d'un peu plus d'une tête et les photos promotionnelles s'assureront d'une proximité physique où le monsieur tiendra galamment sa partenaire par la taille. On prendra également soin de sélectionner un homme aux traits virils et une femme à la silhouette élancée. Tirés à quatre épingles dans des habits aux teintes parfaitement agencées, élégamment maquillés et croqués sur le vif par des angles de caméras flatteurs, on crée ainsi l'illusion du couple parfait. On coulerait leurs figurines en cire qu'elles pourraient faire compétition à celles de Barbie et Ken. Or, qui oserait seulement douter du fait que Barbie et Ken forment un couple ? Impossible ! Tout simplement parce que leur fabricant s'est chargé de suggérer certains de ces éléments similaires et de les ancrer soigneusement dans l'inconscient collectif.

* * *

Tout respire le calme dans la salle de rédaction, lorsque soudain Michel Jean se met à rire. Il faut avoir entendu rire ce solide gaillard pour comprendre combien son hilarité est communicative. Dans la joie comme dans ses colères, ses peines, son orgueil, sa sensibilité ou son professionnalisme, Michel est un passionné. Un homme entier, qui vacille au gré d'un paradoxe de force et d'émotivité, contraste dessinant chez lui à la fois l'homme unique et le grand journaliste. Et le voilà qui, devant son écran d'ordinateur, ne peut plus se contenir de rigoler.

— Annie, viens lire ça !

— Qu'est-ce que c'est ?

— Un courriel d'une téléspectatrice.

Cher Michel,

Chère Annie,

Je tiens à vous féliciter pour votre bébé. Je suis certaine que vous ferez des parents formidables.

Dans les semaines qui suivent, cette anecdote nourrit une série de blagues et de *bloopers* où Michel Jean et moi entrons dans un jeu de rôle digne de *La Petite Vie*. On ne compte plus les clichés où il met la main sur mon ventre en prenant l'air d'un père attentionné, et bien sûr les plaisanteries sur sa crainte de devoir bientôt débourser une pension alimentaire en cas de rupture.

Mais faut-il s'étonner de perceptions comme celle-ci provenant de la part du public ? Par la conception même de l'image, la télévision contribue souvent au rêve contrefait. Les gens perçoivent les artisans des médias comme les reflets de la vie qu'ils souhaiteraient incarner : parfaite, sans défauts, sans obstacles et à l'eau de rose.

Quand je repense au parallèle fait avec Barbie et Ken, une chose me vient à l'esprit : l'industrie du jouet n'a-t-elle pas poussé l'audace jusqu'à offrir au marché une poupée Barbie… enceinte ? Et dans ce rêve souvent inatteignable, mais ô combien désiré du couple parfait, dites-moi qu'une seule âme ici-bas eut alors osé douter de la paternité de Ken ?

Et pourtant, on ne parle ici que de poupées inanimées…

Alors imaginez tout ce qu'on peut exiger de ces marionnettes vivantes de la télévision qui bougent et respirent. Le rêve, certes, mais aussi la perfection. Qui, dans notre société, accorde aux journalistes le droit à l'erreur ? Certains ont vu une longue carrière s'achever dans le déshonneur à la suite d'un seul commentaire maladroit. D'autres ont commis des bourdes dans leur vie personnelle qui ont fait le régal des réseaux concurrents.

Au secours, Barbie ! Dis-moi que tu piques des crises de nerfs, que tu as vécu certaines expériences extraconjugales et que Ken pète parfois au lit. Clame au monde entier ta douce imperfection pour que je puisse moi aussi m'accorder ce même privilège !

Ah ! Et puis non ! À bien y penser, tais-toi ! Quels que soient tes torts, toi au moins on ne pourra jamais te faire porter l'odieux de la plus impardonnable des fautes : vieillir ! Je défie déjà les lois de la nature avec une première grossesse survenant au début de la quarantaine. Mais je crains que, dans quelques années, les lois de la télé ne s'avèrent d'autant plus cruelles.

Sois belle et tais-toi, Barbie ! J'ai une confidence à te faire, Barbie, mais ne le répète à personne. J'ai travaillé avec des animatrices et des journalistes très jeunes. Tellement jeunes qu'on demandait aux coiffeurs et aux maquilleurs de leur donner une apparence un peu plus mature. Parce que, dans ce métier, les producteurs préfèrent nettement faire paraître une jeune femme un tantinet plus vieille que de tenter l'impossible mission de rajeunir une animatrice plus âgée. Une question, dit-on, de crédibilité.

Par contre, pas question que cette crédibilité se mesure aux rides ! Du moins, pas pour une femme…

Un début de nuit tranquille, mais...

Un cri. Mais alors là, un vrai. S'ensuivront trois mots lancés à la tête de mon conjoint à la manière d'une véritable alerte à la bombe :

— Non, recule vite !

Michel, qui s'apprêtait à se mettre au lit tandis que j'y étais déjà en train de lire tranquillement depuis une quinzaine de minutes, sursaute.

— Quoi ? Quoi ? Mais qu'est-ce qui se passe ?

— Oh ! Seigneur !

— Mais qu'est-ce qu'il y a ?

— Mes eaux viennent de crever !

En sortant de la maison, je me retourne pour jeter un dernier coup d'œil. J'éprouve une sensation bizarre en franchissant le pas de cette porte. Celle de laisser un nid qui, dorénavant, ne sera plus jamais habité par un simple couple. Ma dernière empreinte de talon marque la fin définitive de cette tranche de vie en duo. La prochaine trace d'orteils, elle, dessinera celle du retour dans notre résidence *familiale*. Et le mot maison prend tout à coup une signification totalement nouvelle.

À l'hôpital...

— Heille, c'est pas la fille de **J.E.** ça ?

— Oui, mais là, ça va faire ! C'est vraiment pas le moment !

Au moins, cette fois-ci, enceinte jusqu'aux oreilles et affalée dans un fauteuil roulant, personne n'ose ajouter que c'est vrai que la télévision vous fait paraître plus grosse de dix livres.

Des complications

— Aidez-moi, aidez-moi !

Les infirmières ont en partie compris mon malaise, d'abord à mes supplications, ensuite aux haut-le-cœur pour lesquels elles doivent m'amener précipitamment un haricot[18]. L'accouchement ne se passe pas bien du tout. Non seulement les nausées incontrôlables se mêlent aux douleurs des contractions, mais également à un mal de dos absolument intolérable que, naïvement, je crois tout à fait normal vu les circonstances. Comment pourrais-je savoir que ce n'est pas le cas, puisque je n'ai jamais donné naissance auparavant ? Toutes les femmes sont averties du fait que le travail précédant la délivrance est douloureux, mais personne ne décrit jamais la nature précise de cette souffrance. Auparavant, je croyais qu'il s'agissait d'une espèce de secret que les femmes gardaient pour elles afin d'éviter d'effrayer les futures mères. Aujourd'hui, je comprends que c'est parce que ces douleurs sont si intenses qu'elles sont tout simplement indescriptibles.

Au risque d'une comparaison boiteuse, on n'entend jamais non plus une victime de torture décrire les douleurs ressenties. La seule énumération des sévices subis s'avère amplement suffisant. En ce moment, j'ai l'impression de vivre une réelle torture, non pas à cause de mon ventre sur le point de se rompre, mais à cause de cette douleur dans le milieu du dos.

Ce que l'équipe médicale et moi-même ignorons encore, c'est que chaque contraction aggrave une hernie discale qui s'est sournoisement développée au fil de ma grossesse. Une faiblesse au dos ne me paraît pas vraiment étonnante après avoir exigé de lui toutes ces torsions et flexions pendant mes années de gymnastique artistique. Mais je n'aurais jamais cru qu'il viendrait ainsi gâcher l'événement le plus heureux de ma vie.

---

[15] Petit bassin utilisé dans les hôpitaux (appelé ainsi à cause de sa forme) et servant notamment de crachoir ou de récipient pour vomir.

Je suis à bout de souffle. On me demande de continuer à respirer profondément, mais bon sang, cela dépasse mes forces. Je voudrais perdre conscience et sombrer dans le néant, ne serait-ce qu'une minute. Une seule petite minute sans douleur. Je vous en prie, mon Dieu, aidez-moi, car personne ici ne semble en mesure de le faire.

La trêve souhaitée ne se réalisera malheureusement pas, Mère Nature ayant orchestré les choses pour qu'une femme ne s'évanouisse pas au moment d'un accouchement. Au contraire, la pression et l'adrénaline montent à un point tel qu'à moins de complications mortelles, s'évanouir serait impossible. Il fallait bien que les mères d'autrefois, celles qui donnaient naissance isolées au fond des cavernes, puissent rester éveillées. Dommage que la nature n'ait pas suivi l'évolution de la médecine moderne !

Michel est à la fois nerveux, impuissant et ému. Il vit bien sûr les choses d'un angle bien différent. Ce qu'il trouve épuisant mais beau, moi je trouve cela insupportable.

— Allez, je sais que tu peux y arriver, m'encourage-t-il.

Sauf que, à ce moment-là, je ne veux plus rien entendre. On n'a pas le droit de demander à une femme de souffrir de la sorte et de continuer à forcer. C'est inhumain. Il n'existe aucune raison logique pouvant justifier de soutenir un tel effort. Pourquoi diable alors une parturiente accepterait-elle de le faire ? À vrai dire, seules les mères pourront vous répondre qu'il n'existe effectivement aucune logique derrière l'acte, mais que tout se passe à un niveau bien différent lorsque se déploie cette force surhumaine. Que même au moment où leurs entrailles se déchirent, elles sont motivées par un amour unique et bien plus grand que nature. Voilà sans doute pourquoi, malgré trente heures de labeur, j'espère encore éviter la césarienne.

Je suis au seuil de l'épuisement. Chaque contraction rend la douleur de plus en plus insupportable. Je n'arrive pas à comprendre pourquoi, après tout ce martyr, mon col refuse toujours de se dilater. On dirait que mon corps exprime le désir inconscient de vouloir garder ma petite fille pour lui seul et pour toujours. De la préserver bien au chaud et à l'abri de ce monde extérieur dont j'ai trop souvent été témoin du cynisme et de la cruauté. Comment expliquer alors que je promets à ma fille une enfance heureuse ? Un nid bien protecteur ? Une maison où elle pourra toujours trouver refuge ? Parce que ce serment, que je signerais de mon propre sang, puise cette fois racine non pas dans le corps, mais dans le cœur.

— Ça ne peut plus durer comme ça, annonce ma gynécologue.

Contrairement à mon souhait le plus cher, je ne pourrai donc pas donner naissance à ma fille de manière naturelle.

Te voilà enfin.

Élizabeth a finalement vu le jour un lundi de janvier à quatre heures trente du matin. En la prenant dans mes bras pour la première fois, j'oublie presque qu'on a dû me charcuter le ventre pour l'en extirper. La seule chose que je ressens lorsqu'on me la présente enfin, c'est un amour insoupçonné qui se cristallise d'un seul coup et pour toute l'éternité. Dès cette seconde, je comprends qu'envers elle tous mes traits de caractère feront dorénavant place à un questionnement et à une façon d'agir manifestement différente.

La preuve ? Une fois revenue à la maison, lorsque complètement exaspérée par ses pleurs incessants, le manque de sommeil et par cette douleur dorsale, il m'arrive de perdre patience en me rendant vers sa chambre, mais il me suffit d'ouvrir la porte et de la voir si minuscule et sans défense, pour que cette frustration se dissipe immédiatement. Je ne ressens alors plus rien que l'envie de l'entourer de protection et de tendresse, moi qui ne me suis pourtant jamais considérée comme une personne tendre. Rien qu'en posant les yeux sur elle, je tombe en pleine guimauve. La naissance de ma fille correspond à l'apparition d'une nouvelle Annie. D'une femme dont je n'aurais jamais soupçonné l'existence. Je ne suis manifestement plus, et ne serai plus jamais la même personne. Le seul problème, c'est ce foutu mal de dos qui ne semble pas vouloir se résorber et pour lequel l'allaitement m'interdit toute médication. Je crains maintenant les conséquences de cette blessure, qui risquent sérieusement de freiner mon rythme de vie.

Rôles inversés

Les rôles s'inversent. C'est maintenant au tour d'une journaliste de me poser des questions. J'ai beau connaître tous les rouages du métier, un certain inconfort s'installe. Je sais fort bien que ce genre de magazine est friand des détails de nos vies privées. En même temps, il me semble que cela me fera du bien. Peut-être est-ce là une façon de m'échapper du carcan dans lequel, ces derniers temps, j'ai commencé à m'enfermer un peu, malgré moi ? Par la force des choses, une partie du public ne me voit plus comme une simple journaliste, mais comme celle qui réglera ses problèmes. Je parierais que tous les animateurs qui sont passés à la barre de cette émission ont, à un moment ou à un autre, ressenti la même chose. Alors aujourd'hui, bien qu'une partie de moi stresse un peu à l'idée de dévoiler des angles plus secrets de ma personnalité, un autre côté a envie de crier ce que je suis d'abord et avant tout : une mère, une conjointe, une femme. Une simple personne qui ne pourra ni changer le monde, ni répondre aux milliers de demandes qui emplissent ma boîte de courriels.

Voilà le genre de réflexion avec lequel je jongle lorsqu'elle me pose des questions sur la guérison de mon dos.

— Comment avez-vous composé avec cette blessure ?

Je lui réponds que j'avais la ferme conviction de ne pas vivre de cette façon pour le restant de mes jours. Mais, est-ce que je parle seulement de ma blessure ici, ou bien mon inconscient me dicte-t-il un discours à double sens ? Je lui raconte aussi les séances d'acupuncture et de visualisation entreprises pour venir à bout du mal.

— Que visualisiez-vous, au juste ?

— Eh bien, lorsque j'étais couchée sur la table de l'acupunctrice, j'imaginais ma colonne vertébrale souple et ondulant comme un poisson dans l'eau.

Comme un poisson dans l'eau ! L'image à laquelle on fait référence en décrivant un sentiment de bonheur et de liberté. Mais est-ce qu'encore une fois, cette visualisation revêtirait un sens caché ? Serait-il possible qu'en plus de la guérison, je visualiserais également… une forme de libération professionnelle encore inavouée ?

Je sens que j'ai perdu quelque chose en chemin. Mais, comme dans un mauvais rêve, je n'arrive pas à comprendre de quoi il s'agit au juste, ni même où s'est produite la perte. Je suis à la recherche d'une chose que je n'arrive encore ni à décrire, ni à nommer.

Or, dans ma vie personnelle comme dans ma carrière, rien ne devient vraiment tangible si je ne parviens pas à y accoler les mots correspondants. Mieux vaut donc rester silencieuse.

Ne dis pas tes peines à autrui ; l'épervier et le vautour s'abattent sur le blessé qui gémit.

— Proverbe arabe

Cachez ce sein que je ne saurais boire.

— Vous savez, madame Gagnon, il y a de plus en plus de femmes, même au Québec, prêtes à acheter du lait maternel sur Internet.

Voilà comment naît parfois une idée de reportage. Tout bonnement, lors d'une conservation des plus banales. Cette fois-ci, je discute avec une dame de l'allaitement maternel auquel j'ai moi-même mis fin quelques mois auparavant. Mon interlocutrice est une professionnelle de la santé que je viens de rencontrer pour les besoins d'un tout autre reportage. Il n'est pas rare que, si l'on s'ouvre le moindrement à nos invités, ces derniers nous fassent part de connaissances ou d'expériences insoupçonnées et vraiment intéressantes. Comme elle est maman elle aussi, nous avions donc échangé un brin sur nos vécus respectifs. Voilà l'une des facettes du métier que je préfère : le contact humain et la richesse qu'offrent certaines rencontres.

— Sur Internet ? Mais qui sont les donneuses ?

— Vous venez exactement de mettre le doigt sur le problème. En fait, on ignore tout de la provenance de ce lait et de sa qualité.

— Mais ce ne doit quand même pas être une pratique très courante…

— Vous croyez ? Faites quelques recherches à ce propos et vous serez grandement surprise !

Surprise ? N'exagérons rien. Quand on exerce ce métier depuis plus de deux décennies, très peu de sujets ou d'événements parviennent à nous prendre par surprise ou à nous déstabiliser. Au fil du temps, les journalistes d'expérience développent au contraire un grand sens de résilience et d'adaptation leur permettant de répondre efficacement à toute situation pouvant sortir de l'ordinaire. Même dans les circonstances les plus imprévisibles, il se passe alors un truc cérébral assez étonnant : un niveau de concentration extrême s'installe, accompagné d'un calme indescriptible. C'est comme si, tout à coup, on devenait un spectateur extérieur en train d'observer notre propre corps. Au mieux, cela aiguise nos réflexes et nous procure le contrôle nécessaire pour pallier toute éventualité. Mal géré, cet état d'âme peut cependant mener à l'inverse. Je me souviendrai toujours de ce journaliste new-yorkais qui s'était justement réfugié bien trop étanchement dans cette bulle de protection au moment des attentats du 11 septembre 2001. On a pu l'apercevoir en train de relater la chute de la première tour en restant tout à fait stoïque devant la caméra et ce, malgré l'immense vent de panique qui sévissait autour de lui. Trop concentré, il ne s'est même pas aperçu que la chute de la deuxième tour était en train de se produire juste derrière lui. C'est son chef d'antenne avec qui il conversait (en direct et sous les yeux de millions de téléspectateurs) qui lui a promptement indiqué de se retourner.

Alors non, une nouvelle comme celle d'un commerce de lait maternel ne me surprend pas. En revanche, elle vient piquer ma curiosité, ce qui d'un point de vue journalistique aurait toutes les apparences d'une bonne chose.

Mais pour quelle obscure raison alors, une autre corde sensible vient-elle soudainement de vibrer en moi comme la note fausse et cassante d'un violon mal accordé ?

* * *

Mes doigts s'activent devant mon écran d'ordinateur. Si certaines des choses que je découvre ne me surprennent guère, j'avoue néanmoins en être par moments franchement dégoûtée. Quelques vendeuses n'hésitent nullement à mousser les ventes en qualifiant leur lait de « *liquid gold* » (or liquide) ou bien de l'offrir en décrivant sa « texture crémeuse ». D'autres insistent sur le fait que, selon les préférences de la cliente, elle pourra fournir du lait frais ou congelé. Nul besoin de mentionner les risques quant au transport de ce fragile liquide sans congélation au préalable. Je réalise également que les annonces peuvent largement dépasser les besoins d'une mère incapable de produire du lait, au malencontreux profit d'une bande de vicieux pervers délurés. Certaines vendeuses assurent donc « qu'aucune question ne serait posée » dans le cas où ce serait plutôt un homme âgé qui passerait la commande. De quoi vomir !

Par souci de professionnalisme, je dois cependant respecter les limites du reportage, c'est-à-dire me contenter de vérifier s'il est effectivement possible de se procurer ce fameux lait maternel et surtout de le faire analyser.

Moment passager de rêverie. Je me rappelle ce jour pas si lointain où, pour la toute première fois, j'ai donné le sein à Élizabeth. Et si je le lui avais présenté à la manière d'un cadeau d'une valeur inestimable, cette petite princesse s'était contentée de s'accaparer de mon aréole comme s'il s'agissait de sa propriété ! Elle semblait considérer la chose comme son dû, qu'elle cherchait déjà à téter alors que je n'avais même pas encore découvert ma poitrine de cette affreuse jaquette d'hôpital. Je n'ai jamais compris par quel miracle ce minuscule bébé naissant étirait ses menottes vers moi dans l'espoir évident de les déposer contre mon sein qu'elle savait d'instinct gorgé de lait, ni par quelle mémoire génétique les mouvements frénétiques de ses lèvres manifestaient le désir impatient de s'en approcher.

— Alors Annie, on prend celle-là ou pas ?

La voix de la recherchiste me ramène brusquement à la réalité.

— Oui, je crois que ça ira très bien.

Après avoir consulté plusieurs annonces, mon choix se porte enfin sur une vendeuse américaine offrant ce « produit de commerce nouveau genre ». Le fait qu'elle réside chez l'Oncle Sam nous fera également découvrir si cet échange contrevient à certaines réglementations douanières. Tout s'effectue très rapidement par le biais d'un simple courriel et d'une transaction bancaire en ligne. Le seul véritable effort consiste en l'envoi d'une glacière par courrier prioritaire à l'adresse confidentielle qu'elle vient de nous dévoiler.

Quelques jours plus tard, la glacière contenant le liquide congelé nous revient en parfait état. À première vue, le lait semble l'être également. Mais le couperet tombe au retour des analyses de laboratoire. Sur les trois échantillons choisis au hasard, deux sont considérés comme impropres à la consommation humaine.

Objectif journalistique atteint! Le public est maintenant au courant de cette pratique et des risques bien réels de contamination. Je peux clore le dossier et passer à un autre reportage comme je l'ai fait des centaines de fois auparavant. Mais si la journaliste en moi tient ce discours intérieur habituel, la nouvelle mère, elle, aurait plutôt tendance à vouloir creuser le dossier. D'où provenait ce lait, au juste? Par quelles bactéries ou substances était-il contaminé? À quel profil appartenaient ces pures inconnues ayant décidé de tirer leur lait pour le vendre comme on marchanderait du simple chocolat? Mon imagination s'affole. J'imagine une donneuse toxicomane penchée sur un clavier poussiéreux, avec pour trame de fond un appartement insalubre où traînent des aiguilles souillées par le virus de l'hépatite B ou du sida. Sans compter toutes les bactéries virulentes de méningite ou de septicémie pouvant être transmises dans le lait maternel avant même l'apparition des symptômes chez la mère.

Il y a quelque part dans le monde des centaines de bébés, à peine moins âgés que ma fille, qui s'abreuvent aux contenus de ces biberons-là. J'en tremble. Quand je pense à eux, je revois Élizabeth. Je risquerais un jeu de mots franchement déplacé en affirmant que j'en fais une véritable… montée de lait.

Pourquoi ai-je peu à peu l'impression que ce monde et toutes ces histoires scabreuses commencent à me brûler à petit feu?

Opération *pop corn*

Juillet 2011

Ce matin, lire cette nouvelle a provoqué chez moi un inimaginable retour en arrière. Lori Kooger, cette groupie qui avait tenté de séduire Paul Bernardo il y a plusieurs années, fait à nouveau parler d'elle. Cette fois, elle est reconnue coupable de délits de nature sexuelle commis envers des enfants. Je suis abasourdie d'apprendre qu'en plus, elle avait été acquittée pour des accusations du même ordre quelques semaines auparavant lors d'un premier procès dans une cause différente.

> — Quand tu me racontes des souvenirs à propos de femmes comme elle et de l'affaire Bernardo, je ne comprends vraiment pas ta fascination pour la série *Dexter*, me fera remarquer mon conjoint, en s'installant devant le téléviseur pour en visionner l'épisode hebdomadaire. Tu ne trouves pas que c'est un peu paradoxal ?

> — Au contraire, réponds-je en enfonçant les doigts dans le sac de maïs soufflé encore tout chaud et suintant de beurre. Tu ne peux pas savoir à quel point ça me fait du bien de penser que, pour une fois, ce ne sont pas de vrais crimes…

Et j'évite d'étaler le reste de ma pensée, c'est-à-dire que *Dexter,* lui, au moins, ne ferait jamais de mal à des victimes innocentes, préférant choisir ses proies parmi d'ignobles meurtriers ayant commis les crimes les plus atroces. Des assassins comme ceux que nous, les journalistes, ne croisons malheureusement que trop souvent dans la réalité.

Alors, prière de me laisser tranquille avec de sac mon pop-corn.

Un été pas comme les autres

Voilà maintenant plus de vingt ans que je pratique ce métier, et pas une seule fois je n'ai encore manqué mon rendez estival avec le Témiscamingue. Avec mon lac surtout, fidèle compagnon d'enfance où je suis toujours certaine de pouvoir trouver refuge. Une pause ? Un répit ? Un moment de bonheur ? D'habitude, oui. Mais cet été, on dirait qu'il se passe quelque chose de différent. Pourtant, en surface, tout semble normal. Le bruit des castors besogneux qui frappent leur queue dans l'eau est le même. La beauté du coucher de soleil à l'heure où les animaux diurnes s'endorment n'a pas changé. L'effet mystérieux que produit le brouillard sur le lac au petit matin blême demeure pareillement énigmatique. La magnificence de la forêt et de cette nature qui m'entoure reste indéniable. Mais alors, où donc se cache ce sentiment d'accalmie qui d'habitude m'habite dès le moment où je reviens ici ?

Le lac m'appelle et j'y plonge à corps perdu. Et c'est là que je me mets à nager non plus comme un poisson, mais bien comme une bête qui se débat pour se sauver de la noyade. Mes mouvements sont brusques, mes brasses rapides, mes séjours dans l'eau trop longs pour s'avérer apaisants. Et si j'ai le malheur de garder mon souffle en nageant sous l'eau, c'est jusqu'au moment d'en ressentir une intense sensation de feu dans les poumons.

— Mais qu'est-ce que tu fais, me demande mon conjoint, un peu perplexe.

— T'en fais pas. J'ai juste décidé que cet été j'allais me remettre en forme.

Il n'y a pas que dans l'eau que cette hyperactivité s'exprime. Mes pieds ne peuvent plus fouler le sol sans littéralement l'aplanir au rythme de mes sprints lourds et effrénés. Mes souliers de course empruntent tous les sentiers à une vitesse que je ne juge jamais suffisante. Pour je ne sais pour quelle raison, je veux courir plus vite, pousser plus fort, aller plus loin. Alors, j'impose à mon corps des marathons, des randonnées à vélo et des traversées de lac dignes des compétitions Ironman. Le but ? L'épuisement ! Parce qu'à ce moment-là, je n'ai pas conscience que j'essaye simplement d'édulcorer une détresse encore imprécise. Et ça fonctionne, car je parviens à estomper cette anxiété mal définie au fil des douleurs musculaires et des essoufflements trop creux.

Le problème, c'est qu'une fois complètement vidée sinon morte de fatigue, dès que je pose la tête sur l'oreiller, une petite voix me crie de recommencer, sans quoi j'aurai l'impression de « perdre le contrôle ». Évidemment, pour agir de la sorte, il est clair que je l'ai déjà perdu…

En bris d'équilibre

Michel et Élizabeth resteront au chalet une semaine de plus que moi, car je dois reprendre le boulot dès lundi matin. Je ressens une certaine ambivalence. J'ai envie de retourner au travail dans l'unique espoir de retrouver un semblant d'équilibre. Or, sachant que je ne pourrai plus imposer à mon corps ces exutoires (pourtant tellement malsains) que je lui ai fait subir, je crains de craquer. J'essaie de me convaincre qu'après sept longues heures de route, cela ne risque tout de même pas de se produire ce soir. De plus, en étant seule à la maison, je pourrai m'offrir quelques rares douceurs apaisantes telles que prendre un long bain chaud, m'emmitoufler dans une robe de chambre confortable ou siroter une infusion relaxante. Car après tout, ne serait-ce pas justement ce manque de temps pour moi et moi seule qui pourrait être à l'origine de ce stress ? Tout le monde ne répète-t-il pas combien il est difficile de concilier le travail et la vie familiale ? Je ne suis donc certainement pas la seule à avoir vécu un tel moment d'égarement, et voilà l'occasion idéale pour remettre les choses en place : un dernier week-end de congé, mais cette fois-ci rien que pour moi. Un temps d'arrêt bénéfique. Une pause en solo. Un moment de solitude bien mérité. Le rêve !

L'isolement souhaité tourne toutefois bien vite au cauchemar. À défaut de mots pouvant décrire ce que je ressens, ce sont des gémissements porteurs d'anxiété et d'affliction qui sortent de ma bouche. Le malaise prend possession de mes trippes et je n'y vois qu'un seul remède.

— Le mouton. Où est le mouton ?

En prise à un effroi que je n'avais jamais connu, je cherche désespérément le mouton de ma fille, un jouet musical qui lui avait été offert à sa naissance. Cette babiole occupe toutes mes pensées. Je veux la retrouver et la placer contre mon oreille pour en entendre les sons, en particulier celui de la mer qui autrefois savait si bien calmer Élizabeth. Mais où peut-elle être ?

Ça y est, je me rappelle. Je l'ai rangée dans une boîte au sous-sol il y a déjà pas mal de temps. Cette obsession qui me hante frôle la déraison. Une sorte de vésanie contre laquelle tout est perdu d'avance. La seule chose qui m'importe, c'est de pouvoir dénicher ce damné mouton. Mes gestes saccadés témoignent de toute l'irrationalité de la scène. C'est en déchiquetant les boîtes que je réussis fébrilement à les ouvrir. Le voilà enfin! Mais je constate avec horreur qu'il ne fonctionne pas.

Je n'aurais jamais cru réagir aussi fortement face à de simples piles défectueuses. Comme si, soudain, le monde entier osait me tenir tête.

— Où est ce maudit tournevis ? dis-je au bord des larmes.

Évidemment, personne pour m'entendre ou m'aider. Je gagne le garage à la course, à la recherche de ce qui me permettra d'éventrer le jouet pour exposer ses entrailles électroniques. Je rage à l'idée qu'il ne suffit pas d'un tournevis ordinaire, mais bien d'un outil de précision minuscule. Je sais que Michel en garde un quelque part, mais où ? La pression monte. Je suis presque en panique à l'idée de ne pas le trouver. Lorsque je le vois enfin, j'ouvre le jouet sans pitié pour en retirer les piles vides.

Puis, je fouille dans tous les tiroirs de la maison pour en dénicher des neuves. Encore une fois, la pression monte. Je me prends la tête à deux mains en constatant que nous sommes en rupture de stock de ce côté. Je me précipite vers la télécommande pour en trouver. Oui! Il s'agit du bon format. Je peux remplir l'abdomen du mouton et enfin le coller contre mon oreille, comme une enfant, sans plus aucun désir de retenir cette angoisse.

Pour la première fois de ma vie, je comprends ce qu'est une crise d'anxiété. Et je sais que, cette fois-ci, je ne pourrai pas m'en sortir seule. Je vais donc chercher de l'aide, mais je continue à travailler sans avertir mes collègues de cette fragilité qui, sournoisement, m'empoisonne.

Infiltration

À l'aube de ma carrière, dans ma grande naïveté, j'ai cru que la mort serait la chose la plus insoutenable. Pourtant, certains reportages se chargeront de me démontrer une réalité bien plus âpre. Force sera de constater que la Grande Faucheuse fait bien pâle figure à côté de sa sœur rivale : la fin de vie. Je pense en particulier aux personnes âgées qui croupissent en centre d'hébergement.

Au moment de me pencher sur ce sujet, cette idée n'effleure même pas l'orée de mon imagination. Tout ce que j'en connais se résume au nombre effarant de dénonciations provenant du public concernant les soins prodigués aux personnes âgées. Des plaintes du genre de celles-ci emplissent quotidiennement ma boîte de courriels :

Mon père vit dans un centre pour personnes âgées et on le laisse dans sa couche souillée toute la nuit. Pouvez-vous faire quelque chose ?

Depuis quatre ans, ma mère vit avec la terrible maladie d'Alzheimer. Nous avons dû la placer à contrecœur. Mais le personnel de la maison de retraite où elle vit ne possède pas la formation nécessaire pour subvenir aux besoins d'une personne comme elle. Alors on la bourre de médicaments pour qu'elle reste calme. On en a fait un légume ! Je vous en prie, allez voir ce qui se passe.

Je considère que les préposés qui s'occupent de ma grand-mère n'ont pas suffisamment de connaissances ni d'expérience pour manipuler une personne aussi fragile. La semaine dernière, elle est tombée de son lit et s'est fracturé la hanche. On a attendu trois jours avant de l'amener à l'hôpital. Pouvez-vous faire enquête ?

Je me rends bien compte qu'il est plus que temps de vérifier toutes ces allégations.

> — Marc, j'aimerais faire une enquête sur ce qui se passe vraiment dans les foyers pour personnes âgées. Il paraît que la formation pour les préposés est souvent insuffisante, sans parler des conditions d'hébergement. Il faudrait infiltrer plusieurs résidences.

> — Et on parle de combien de temps ici, au juste ?

> — Environ trois mois.

On peut considérer de telles missions d'infiltration comme longues, risquées et évidemment fort coûteuses. Il suffit notamment que, durant la période d'enquête, une seule personne reconnaisse le journaliste pour que des semaines d'efforts tombent à l'eau en moins de cinq secondes.

Je me souviens d'une collègue qui avait réussi à s'infiltrer dans une garderie non sécuritaire sous une fausse identité, là où aucune vérification ne semblait d'usage. Elle s'affairait justement à démontrer les risques élevés, dont ceux d'enlèvement, que couraient les bambins en présence de parfaits étrangers non identifiables. Mais après quelques jours, une nouvelle bénévole faisait son entrée au sein de cet organisme. Et cette femme, qui fréquentait la même chorale que la journaliste infiltrée, l'a reconnue d'emblée.

Considérant qu'ici des centaines de personnes âgées reçoivent des visiteurs provenant de toutes les couches de la société, ce risque s'accroît de manière exponentielle. Notre recherchiste tombera-t-elle face à face avec un candidat électoral rencontré lors d'un point de presse ? Avec un auteur sur qui elle aura autrefois écrit un article pour un magazine ? Croisera-t-elle un ex-détenu dont elle aura déjà couvert le procès ? Tout comme pour les policiers, au fur et à mesure que notre infiltration se prolonge, la possibilité de se faire démasquer augmente. D'un autre côté, plus on s'attarde au même endroit, plus on a de chances d'en découvrir les secrets bien gardés.

Les dirigeants qui acceptent de donner l'aval à de tels projets font preuve de courage. Mon collègue et patron du moment, Marc, est un de ceux-là. Les producteurs du milieu télévisuel ne sont certes pas tous comme lui. Plusieurs stations de télévision optent pour des valeurs plus sûres, où l'on se contente d'installer confortablement les fesses de leurs invités au creux de douillets fauteuils. Très peu d'entre elles osent le journalisme d'enquête. Et si tellement peu de journalistes le pratiquent, c'est justement parce qu'on ne leur en accorde ni le temps, ni les moyens. On préfère de plus en plus presser à sec le citron de la nouvelle, quand on ne nous ressert pas tout simplement la même soupe à l'arrière-goût de réchauffé. Et tout cela bien souvent au mépris de situations sociales importantes, qu'on ne peut couvrir adéquatement qu'au moyen d'enquêtes sérieuses et soutenues.

— C'est très long. Es-tu certaine que cela donnera des résultats concluants ?

Certaine ? Non. Nous ne le sommes jamais vraiment. Il existe beaucoup trop de variables et d'impondérables dans ce métier pour prétendre parvenir à coup sûr aux résultats escomptés. Nous ne sommes pas devins. On peut faire chou blanc comme découvrir les choses les plus insoupçonnées. Encore là, l'instinct demeure incontestablement notre meilleur outil. Ajoutez à ce dernier un lien de confiance entre le journaliste et son patron, et voilà que la possibilité d'un bon reportage atteint son paroxysme.

En ce moment, si le public cherche à me faire comprendre l'importance d'enquêter sur la vie de ses aînés, cela signifie certainement quelque chose.

Je le sais, et heureusement mon patron aussi. Après quelques discussions, j'obtiens enfin le feu vert ! Reste à élaborer un plan…

L'envers du décor

— Bonjour à tous !

L'accueil du *red-chef* est accompagné d'une suite amusante :

— Chers amis, j'ai le plaisir de vous présenter… Mélissa !

Pour les besoins de l'enquête sur les foyers pour personnes âgées, ma collègue recherchiste se voit en effet assigner une nouvelle identité pour les mois à venir. À partir de maintenant, elle se prénommera Mélissa et incarnera le rôle d'une jeune femme dans la vingtaine désireuse de faire carrière à titre de préposée aux bénéficiaires. Le public n'imagine pas toutes les difficultés auxquelles se heurtent les journalistes d'infiltration. Ici par exemple, Mélissa ne peut pas se faire engager sans détenir une formation appropriée. Il faudra donc qu'elle se tape un cours complet avant de seulement pouvoir mettre les pieds sur son terrain d'enquête.

Doit-on souligner que la plupart des gens qui ont opté pour le domaine des communications ne possèdent souvent pas les qualités requises pour œuvrer dans le secteur de la santé ? J'en suis moi-même un exemple flagrant. Je déteste tout ce qui est médical. J'ai du mal à croire que les travailleurs des hôpitaux, notamment ceux des urgences, supportent de côtoyer de si près la souffrance humaine. Chaque fois que l'on prononce le mot « médecin » je pense à celui qui m'a recousu la jambe lorsque j'avais quatre ans. Et à froid, s'il vous plait ! Je revois encore mes parents qui me retiennent sur la table de peine et de misère, tandis que je hurle à fendre l'âme. Et j'entends encore mère affirmer en pleurant :

— Crois-moi, ça me fait plus mal qu'à toi.

Évidemment, à ce moment j'ai cru qu'elle me mentait effrontément puisque c'était moi qui ressentais l'aiguille carnassière pénétrer dans mes chairs. Il a fallu que je devienne mère moi-même pour comprendre qu'elle ne me mentait pas !

Bref, je n'ai jamais eu la vocation médicale. « Mélissa », qui ne l'a sans doute guère plus que moi, devra toutefois apprendre à la feindre. Une partie de moi se réjouit que mon rôle d'animatrice me disqualifie pour l'infiltration directe. Une autre se désole à l'idée qu'une consœur qui a fait les mêmes choix de carrière que moi doive maintenant jouer ce rôle si difficile.

Deux fois par semaine, elle revient au bureau pour me parler de cette formation de quatre semaines à peine qui, elle le comprend d'emblée, s'avère insuffisante pour la future tâche à accomplir. Pourtant, dans moins d'un mois, on devrait lui octroyer un diplôme lui permettant d'aller travailler auprès de gens malades, fragiles, démunis, affaiblis ou dont la démence ronge ignoblement le cerveau.

Mais il nous reste encore bien d'autres chats à fouetter. Dans les missions d'infiltration, on marche parfois sur des œufs, tant à l'égard de la sécurité qu'à celui de la loi. Nous voilà donc en rencontre avec notre conseillère juridique, qui soulève d'entrée de jeu un important problème :

— Soyez très prudentes, annonce-t-elle. Si décliner une fausse identité pour nos fins d'enquête est nécessaire à la protection du journaliste infiltré, il en est tout autrement quand il s'agit de signer des documents relatifs à l'embauche. Sur ces papiers, toute fausse déclaration serait considérée comme une fraude. Un faux nom, une déclaration mensongère ou une fausse signature et on nage en pleine illégalité !

Et vlan ! Ces paroles ont l'effet d'une douche froide ! Heureusement, il reste une solution : que Mélissa n'offre ses services qu'à titre de stagiaire. Une fois les stages complétés, l'enquête devra elle aussi prendre fin.

Bien que je donne l'illusion de ne m'intéresser qu'au fonctionnement journalistique de l'enquête, en silence je trouve « Mélissa » extrêmement courageuse. Prodiguer des soins à des personnes fragilisées par l'âge est certes un emploi noble, mais humainement difficile. En grande professionnelle, elle accepte ces contraintes sans rechigner.

Ceux qui croient que la carrière journalistique est l'exemple du parfait glamour ignorent bien des choses. C'est en partie parce qu'ils ne voient pas ce que nous décidons, pour des raisons humanitaires et éthiques, de couper au montage…

Des heures de visionnement

— Monsieur Hébert, pas par là. Par ici, s'il vous plaît!

— De quoi?

— Venez avec moi, vous allez du mauvais côté. La salle de bain, c'est par ici.

— Oui mais, je veux aller voir ma fille…

Mélissa démontre une patience d'ange envers ce vieil homme confus et délaissé de ses proches. L'homme ne sait pas qu'il est filmé grâce à une caméra miniature qu'elle porte sur elle. Et s'il le savait, il n'y comprendrait malheureusement rien. Des scènes crève-cœur comme celle-ci, « Mélissa » en produira pendant des jours entiers.

J'essaie donc de visionner froidement les trente heures de captation vidéo effectuées auprès de ces pauvres personnes, mais j'en suis incapable. Les larmes me viennent aux yeux. En journalisme d'enquête, il existe ce que j'appellerais des dommages collatéraux. Ici, ils se caractérisent par des vieillards filmés à leur insu tandis qu'on leur prodigue des soins de base. Et comme le but vise justement à vérifier la manière de traiter nos aînés à l'intérieur des murs de ces institutions de soins prolongés, il va de soi que nos images captent ces personnes âgées dans leur intimité la plus profonde, y compris leur nudité. Alors, même si l'enquête s'effectue pour toutes les bonnes raisons du monde, c'est-à-dire pour vérifier si on leur apporte les soins avec la compétence appropriée (ce qui n'est vraiment pas toujours le cas), une partie de moi se sent odieuse.

Bien sûr, nous censurerons la très vaste majorité du contenu vidéo. Bien sûr, nous cacherons l'identité des individus concernés. Reste que c'est toute une équipe de réalisateurs et de journalistes qui devra scruter ces images privées, afin de comprendre la réalité de ces personnes dont la misère demeure généralement à l'abri des regards.

Tellement à l'abri, en fait, que cette fin de vie dégradante reste le secret le mieux caché de notre société actuelle. Et ça, « Mélissa » et moi venons de le constater. Surtout elle, bien sûr, qui en vit les réalités au quotidien, les deux mains bien plongées dedans. Tandis que je regarde défiler ces corps nus à l'écran, Dieu sait que je ne suis pas une voyeuse. Je sais qu'il me faut traverser cette étape, en affrontant tout le malaise qu'elle provoque en moi, si je veux pouvoir accomplir mon travail de journaliste afin que puissent s'améliorer leurs conditions de vie.

À ce moment, je suis encore convaincue que la seule chose qui va me déranger dans cette enquête sera cette intrusion quasi indigne dans la pudeur de l'autre — qu'il me faudra compenser par un très grand professionnalisme et un immense respect. Si les travailleurs de la santé y parviennent quotidiennement, je le peux aussi. Comment ? En imaginant tout simplement qu'il pourrait s'agir de mes propres parents et en rageant à l'idée qu'une équipe de production les épierait en train se faire laver ou changer de culotte d'incontinence…

Je crois donc, très naïvement, qu'il s'agira du principal obstacle à franchir. Le jeu vaut largement la chandelle puisqu'il s'agit de dénoncer la maltraitance, l'incompétence ou une formation non adéquate. Et sur ce point, nous ne nous trompons pas.

Mais je me rends vite compte qu'il s'agit là de la partie facile. Notre équipe fait preuve d'un très grand respect et à aucun moment je ne note la moindre insensibilité de la part de quiconque. Je perçois dans l'œil de Jean, le réalisateur, un homme empreint d'une humanité exemplaire, cette étincelle de compassion à la fois nécessaire et réconfortante. Je suis certaine qu'en les voyant, il pense à sa vieille mère habitant le Vieux continent et de l'immense distance qui les sépare tandis que la mort, elle, approche à grands pas. Je sens d'ailleurs chez tous les autres membres de l'équipe une émotion tout aussi palpable.

Malgré cela, je n'ai jamais été exposée aux réalités physiques du vieillissement. Et tout à coup, me voilà obligée de constater de mes propres yeux les ravages que les années peuvent infliger à un corps humain. Rivée sur ma chaise, je vois et j'entends une vieille dame nue qui crie des insanités à sa préposée, en l'occurrence « Mélissa ». La pauvre dame ne possède à l'évidence plus toute sa tête et ne comprend pas du tout les manipulations qu'on lui fait subir à l'occasion d'un simple bain. Le seul de la semaine, d'ailleurs. Que cette pensée m'écœure ! Mais la pire prise de conscience reste à venir.

C'est sa maigreur et la transparence de sa cage thoracique à travers une couche de peau devenue trop mince qui me figent. Ses seins flasques ne ressemblent plus en rien à ceux d'une femme. Ce ne sont plus que deux petits traits de chair efflanqués et tombants. Une sorte de fardeau inutile que son corps affaibli traîne comme un forçat traîne ses boulets aux pieds. Ses aréoles, autrefois nourricières, semblent s'être retirées depuis longtemps sous sa peau trop étirée.

> — Lâche-moé, ma maudite vache, lâche-moé tu-suite ! Je veux retourner chez nous. Pis toé, t'as pas d'affaires à me toucher. Y est où mon mari, là ?

Son souffle court et fébrile, résultat de sa crise, ne fait qu'accentuer les mouvements de ces chairs disgracieuses et dépourvues de toute féminité. Son ventre, tout aussi pendant bien que dépourvu de graisse, montre que cette pauvre femme a récemment perdu énormément de poids. La maladie, sans doute. Ou est-ce la vieillesse qui, à elle seule, parvient à réduire un être humain à ce pantin triste et avili, qui n'est plus soutenu que par un squelette et animé par un battement de cœur ? Pour combien de gens la fin de vie se résume-t-elle ainsi à l'affaiblissement et à l'isolement ?

Par cette enquête, je deviens le témoin clandestin d'humains réduits à leur plus simple expression. À l'effacement graduel d'êtres, hébergés non seulement dans un établissement sans âme, mais surtout dans leur propre corps devenu hostile. Est-ce pour se protéger inconsciemment que certains travailleurs de la santé s'adressent à eux comme à des étrangers ? Oublient-ils qu'ils ont devant eux une grand-mère aimante, un ancien pompier ayant sauvé de multiples vies au péril de la sienne, une enseignante retraitée qui aura réussi à motiver un de ses élèves devenu aujourd'hui un éminent chercheur ? Pour eux, toutes ces personnes à l'histoire de vie unique sont simplement des « patients » ! Pis encore, des « bénéficiaires ». Peut-on m'expliquer comment on peut « bénéficier » d'un service (que l'on a d'ailleurs payé à l'avance durant une vie entière) qui n'offre parfois même pas l'essentiel ? Wow ! Tout un bénéfice !

Mais mon indignation est plus grande encore à l'égard de ceux qui ont poussé la réflexion et l'audace jusqu'à subtiliser à ce terme, déjà disgracieux à mon sens, celui de « client ». Comme si on pouvait comparer les soins à une vulgaire transaction ! Le débat est lancé : patient, client, bénéficiaire, usager ? Controverse stérile, jugeront certains. Quoi qu'il en soit, je ne vois nulle part dans cette liste les mots « personne » et « être humain ».

J'ai beau suivre les faits et gestes de ces gens depuis des semaines, je n'ai aucune idée de qui ils sont réellement. Je frémis en repensant à cette femme que, faute de connaître sa véritable identité, j'appelle « la dame décharnée ». Dans leur vie (ou plutôt leur vide…) de tous les jours, l'image de ces personnes est devenue celle du patient, du client, du bénéficiaire dont on doit changer le cathéter ou le pansement. Parfois, certains ordres lancés par les supérieurs donnent froid dans le dos :

— Mélissa, n'oublie pas d'aller changer la couche *de la chambre 406*.

Nos aînés ne sont plus que des numéros de chambre.

* * *

Notre reportage a alerté le gouvernement sur la formation des préposés aux bénéficiaires, largement insuffisante dans certains cas, et parfois même enseignée par des gens aux compétences fort douteuses. Nous avons également mis au jour des pratiques illégales mais assez répandues, comme l'administration de médicaments par ces préposés, pourtant interdite par la loi. Journalistiquement parlant, on peut donc considérer ce travail comme une véritable réussite.

Humainement par contre, il a suscité un véritable bouleversement chez les intervenants liés à ce projet d'enquête. Évidemment, le public a fortement réagi à ce que nous lui avons montré. Mais il est rarissime qu'il puisse comprendre les véritables impacts humains subis par des journalistes d'enquête, puisque plusieurs réalités sont assujetties au jugement nécessaire d'une censure bien compréhensible.

Ce que vous ne verrez jamais

Ça oui, il y a des choses que vous ne verrez pas !

Je ne veux pas faire ici le procès de ceux qui accusent les journalistes de se livrer au sensationnalisme. Il est vrai que depuis quelques années, la diffusion de nouvelles en continu et l'apparition de plusieurs réseaux et médias sociaux ont influencé la quantité de nouvelles à produire, et ce, malgré des coupures budgétaires importantes.

Mais on oublie une chose : si certains événements suscitent ce type de couverture, n'est-ce pas justement parce qu'ils se veulent eux-mêmes sensationnels ? N'est-ce pas là du sensationnalisme au même titre, sinon davantage que le fait de les diffuser ? Sur qui repose alors la responsabilité ? On accusera les reporters de montrer des revendicatrices aux seins nus lors de manifestations par ailleurs très décentes. Mais qui provoque ici ce sensationnalisme ? Le journaliste… ou l'exhibitionniste ? L'expression anglaise « *Don't shoot the messenger* » trouve ici tout son sens.

Si seulement les gens connaissaient la quantité d'informations choquantes et inhumaines que nous refusons régulièrement de diffuser ! J'ai connu des journalistes qui ont couvert des procès pour meurtre en se contentant de mentionner que l'arme était un couteau… mais en se gardant bien de décrire le supplice pourtant soigneusement décrit en Cour par un expert en projection de sang. À plus forte raison lorsque le martyre se cache sous les traits d'un enfant.

Je pense aussi à certains collègues qui ont obtenu des renseignements confidentiels de la part de témoins anonymes ou de policiers un peu trop zélés… mais qui ont préféré garder le silence plutôt que de détruire davantage la vie déjà fragilisée de certains proches de victimes.

Et que dire des reportages sur les cyber-pédophiles, où certains journalistes vivent un écœurement quotidien à la vue d'hommes dans la cinquantaine, souvent sales et bedonnants, qui halètent de plaisir en croyant se masturber non pas devant les employés d'une salle de rédaction, mais bien sous les yeux d'une fillette de 14 ans ?

Il faut le voir pour comprendre toute la répugnance que nous vivons face à ces images, que nous cacherons évidemment au public, mais qui resteront à jamais gravées dans nos têtes.

Une question de flair

Flair : Odorat des animaux, en particulier celui du chien. (fig.) Clair-voyance, finesse qui porte à deviner, à prévoir quelque chose.

— Larousse 2013

Lorsque j'étais plus jeune, mes mentors m'ont répété cent fois combien il fallait du flair pour devenir un bon journaliste. « Un sens à aiguiser et pourvu d'atouts fort nobles », affirmaient-il avec conviction. En y repensant bien, une foule d'expressions en référence au nez s'appliquent dans la pratique de notre métier. Ne nous reproche-t-on pas régulièrement de nous *fourrer le nez partout ?* Sans parler de notre propension inégalée à vouloir *tirer les vers du nez* de personnes peu bavardes. Il nous arrive aussi de nous *casser le nez* lorsqu'une enquête journalistique tombe à l'eau. Et combien de fois nous faisons-nous *claquer la porte au nez* par des gens qu'importune de la présence de reporters exigeant qu'on leur rende des comptes ? Finalement, faut-il *avoir le nez fin* pour réussir à démasquer ce qui se cache derrière de faux discours, des apparences trompeuses, ou pour déjouer une propagande de relations publiques bien orchestrée ! Mais jamais je n'aurais cru que mon flair pourrait se vanter d'être aussi sollicité qu'aujourd'hui…

Nous voilà en route, Yves et moi, vers le domicile d'un homme qui aurait des problèmes avec son voisin. Le plaignant s'est en effet vu refuser une réclamation d'assurance après avoir dû refaire un mur mitoyen résultant du piètre entretien de la résidence d'à côté. Le motif du refus ? Une situation que l'assureur qualifie de « hors de l'ordinaire ». À peine arrivés, une surprise de taille nous attend.

— Oh, mon dieu ! Mais qu'est-ce que c'est que ça ?

Le caméraman est lui aussi déstabilisé par cette odeur pestilentielle qui envahit soudainement nos narines. Même au grand air et encore à des mètres de distance, on peut sentir cette puanteur atroce qui nous donne le haut-le-cœur. Porter la main pour nous couvrir le nez et la bouche ne nous est d'aucun secours. Et dire que depuis deux longues années, le malheureux propriétaire doit subir l'odeur de cette infecte résidence où vivent quarante-deux chats dans l'insalubrité la plus totale. L'urine s'est littéralement changée en vapeurs ammoniaques. Les excréments empestent. On se croirait dans un véritable égout à ciel ouvert. Il suffit de pénétrer dans la résidence pour constater que la construction d'un mur mitoyen neuf et mieux isolé n'a même pas atténué le problème.

Bien sûr, mon reportage portera sur les subtilités légales permettant à une compagnie d'assurance de faire fi de ce genre de réclamation. Je m'en tiendrai donc aux aspects juridiques tout en débordant sur les conséquences fâcheuses subies par le voisinage. Et même si une partie de moi finira sans doute par se demander comment des gens en arrivent à vivre dans un tel état de déchéance, comment débute cette folie et par quel processus elle s'incruste ensuite, la seule chose qui me vient en tête en ce moment, c'est le mot « miasme ». (*Miasme : émanation putride provenant de corps ou de substances en décomposition.*)

Or, malgré tout le dégoût que je ressens, je suis bien consciente qu'il ne s'agit que de vulgaires déjections de chats. Certains de mes collègues, eux, se sont déjà rendus sur des scènes de guerre, de tsunamis ou de tremblements de terre en pleine période de canicule. Des zones où les miasmes provenaient d'humains en décomposition piégés sous les décombres ou condamnés à pourrir sur le bord d'une route.

Mais voyez-vous, en plus des images que vous ne verrez jamais, il y aura aussi une panoplie d'odeurs dont vous serez systématiquement (et fort heureusement) épargnés. Ces mêmes fétidités que des journalistes devront pourtant respirer à pleins poumons afin de vous présenter un reportage. Et peut-être avant d'aller carrément en vomir…

Reproches

Ma boîte de courriels déborde. De toute évidence, mon dernier reportage concernant un ex-membre des Hell's Angels, aujourd'hui réformé en concierge dans une résidence pour personnes âgées, n'a guère plu à certains.

Madame Gagnon

J'ai vu votre reportage à propos d'un ex-motard qui travaille maintenant dans une résidence pour personnes âgées. Vous devriez avoir honte! Cet homme a payé sa dette à la société et maintenant vous venez de lui enlever toute chance de réhabilitation.

Madame,

Ça devient vraiment du journalisme de bas niveau quand on est prêt à faire enlever le gagne-pain d'un homme. Vous autres, journalistes, vous ne recherchez que le sensationnalisme.

À la journaliste qui a fait le reportage de vendredi

Non mais à quoi tu pensais? Les ex-prisonniers, tu penses que ça se trouve des jobs en criant ciseau? Faut être pas mal idiote pour scraper la vie d'un gars de même. Vraiment chien comme travail.

En lisant les critiques, force est de constater que certains individus, me reprochant d'avoir traversé la sacro-sainte ligne éthique, ne se gênent pourtant pas pour me traiter de tous les noms. Et tout ça, rappelons-le, en se réclamant du *respect d'autrui*. Je souris à l'idée qu'en ondes, on aurait certainement remplacé ces expressions par un bip sonore tellement elles sont inappropriées. Et Dieu sait que certains bips auraient duré plus longtemps que d'autres!

En décidant de réaliser ce reportage, je savais d'emblée que je marchais sur des œufs. Si j'avais depuis longtemps refusé de craindre le milieu criminel, je ne m'étais jamais opposée pour autant à la réinsertion sociale. Mais ici les enjeux se situaient à un tout autre niveau. Depuis les derniers mois, le gouvernement affirmait à qui voulait l'entendre ses intentions d'obliger la divulgation des antécédents criminels chez les employés de résidences pour personnes âgées. Le gouvernement désirait donc resserrer les critères d'embauche par la vérification des antécédents judiciaires. Et non seulement cette nouvelle règle s'appliquerait-elle aux travailleurs rémunérés, mais également à tout bénévole. Tant pis pour ceux qui ne pourraient pas montrer patte blanche ! Mes récents reportages dénonçant la piètre formation du personnel avaient d'ailleurs largement contribué à ce changement de cap.

Alors, lorsque des informateurs, mécontents que l'on impose à leurs proches la présence d'un ex-criminel notoire m'ont jointe, il m'aura fallu déterminer s'il s'agissait ou non d'un dossier d'intérêt public.

Pour ça, j'ai d'abord dû mettre de côté les jugements de valeur de quiconque (incluant de ma propre personne) pour ne m'en tenir qu'aux faits réels et de nature publique. La première étape consistait donc à fouiller des dossiers officiels et neutres, par exemple des jugements de Cour. En quelques clics de souris, je consulte donc le plumitif de cet individu. Après quelques minutes seulement, le bout de papier sur lequel je griffonne le résumé de ses activités criminelles passées finit par ressembler à ceci :

Opération Printemps 2001 / 13 chefs accusations de meurtre prémédité

Reconnu coupable à des accusations réduites / Condamné à 10 ans de prison

- *Trafic de drogue*

- *Complot pour meurtre*

- *Gangstérisme*

- *Proche de Mom Boucher.*

Rien qu'à la lecture de cet insignifiant gribouillis, n'importe qui aurait pu deviner (sans même connaître les circonstances entourant les arrestations de 111 motards lors de l'opération policière Printemps 2001) que le biographié s'est grandement éloigné du chemin des enfants de chœur. On parle bel et bien ici d'une carrière criminelle des plus violentes, et non d'un simple accident de parcours pour lequel une absolution serait envisageable.

Je viens donc d'obtenir la réponse à ma première question. Oui, il s'agissait d'un dossier d'intérêt public, et ce, pour trois raisons. D'abord, parce que la volonté politique du moment en faisait une question d'actualité. Ensuite, parce qu'en plus de ses fonctions de concierge, il avait été élu représentant syndical, assumant du coup une position risquant de le placer directement au cœur de débats publics. Enfin, parce que, quand on laisse derrière soi autant d'empreintes digitales dans les dossiers policiers, que l'encre qui coule sous votre nom a séché sous la forme des mots « complot pour meurtre » et qu'une porte de prison s'est refermée derrière vous pour avoir commis des crimes bestiaux et inhumains, il est clair que votre vie passée restera d'intérêt public. Vos gestes futurs seront à jamais jugés à l'aune de ceux posés autrefois.

Même de grands héros comme le commandant Piché, qui a pourtant sauvé des centaines de passagers lors d'une panne de moteurs d'avion, en ont subi les contrecoups. On se souviendra en effet que, quelques jours à peine après cet atterrissage héroïque, le passé de trafiquant de drogue du pilote avait rapidement refait surface. Ce qui fera la différence ? Rien de moins qu'une mise à nu ! À ce titre, Robert Piché a remporté la palme. Après une certaine période de retrait, il a osé se présenter devant les journalistes comme un livre ouvert. Il a commenté et même raconté tous les événements l'ayant mené dans les bas-fonds d'une prison de Géorgie.

Reste à savoir maintenant si cet ex-motard criminalisé, et aujourd'hui concierge dans une résidence de Lanaudière, aura le courage de faire la même chose. Il est chez lui lorsque la sonnerie de son téléphone retentit. Mes tous premiers mots suffiront à lui faire comprendre que son lourd passé sera à nouveau être exposé au grand jour :

> — Bonjour monsieur. Je m'appelle Annie Gagnon et je suis journaliste…

La seule chose pouvant compromettre un brillant avenir, c'est un passé sombre.

— Louise-Marie Lacombe

S'il n'existe aucune diffamation à exposer la vérité d'hier, c'est un devoir journalistique que de présenter les nouveaux éléments d'actualité de manière juste. Comment ? En accordant le droit de parole à toutes les parties. J'ai déjà entendu une expression qui disait que, peu importe la minceur d'une crêpe, elle possédait toujours deux côtés. Quelle sagesse !

Je tiens d'autant plus à respecter ce principe si un reportage risque de placer quelqu'un dans une situation inconfortable alors qu'il ne doit répondre d'aucun méfait, mais que les circonstances suscitent en elles-mêmes une controverse.

Dans ces cas-là, ma ligne est claire : m'enquérir d'encore plus d'avis différents. Fouiller plus profondément pour amener le plus de nuances possibles et surtout, m'assurer d'aller chercher au moins un expert neutre, c'est-à-dire compétent en la matière, mais aucunement lié avec les parties concernées. En d'autres mots, faire preuve d'impartialité journalistique.

En plus de l'entrevue effectuée avec le principal intéressé, je décide donc d'aller rencontrer tous les intervenants pouvant faire la lumière sur cette affaire. Ensuite, il faut véritablement procéder à la manière d'une liste d'épicerie, c'est-à-dire noter le nom de chaque individu, sa fonction et les principaux arguments qu'il apporte au débat. Un travail qui peut paraître enfantin, mais que je m'impose par pur souci de professionnalisme et que je prends même soin de relire. Voyons voir :

SYLVIE

AVOCATE SPÉCIALISÉE EN LIBÉRATIONS CONDITIONNELLES

EXPERTE NEUTRE

Arguments à l'avantage de l'employé :

- La peine de l'ex-détenu est purgée.

- Se trouver un travail fait partie de ses conditions de libération.

- Il est déjà difficile pour un ex-détenu de se trouver un emploi.

- Il a légalement le droit de recommencer sa vie.

- Il n'a pas récidivé depuis sa sortie.

- Le milieu dans lequel il œuvre n'est pas fréquenté par des criminels et ne le place donc nullement dans une situation qui comporte un risque de récidive.

- La violence qu'il exerçait était dans un milieu criminel fermé et ne visait pas de personnes âgées.

Arguments à son détriment :

- Croit que l'ex-détenu aurait dû rester tranquille et surtout s'abstenir de toute implication au sein d'une organisation syndicale.

- Parle de l'importance de se faire discret quand on veut refaire sa vie après un parcours aussi trouble.

Je me fais un devoir de répéter ce bête exercice pour chacun des mes répondants. Je donne donc la parole au propriétaire de l'établissement qui, s'il avoue ne pas avoir effectué de vérifications judiciaires, mentionne que l'employé a toujours fait preuve de compétence et de politesse. Je le note soigneusement.

Mon entretien avec un représentant en défense de personnes âgées exprime un avis beaucoup plus sévère. Selon lui, ce sont justement vers les endroits où résident des personnes vulnérables que des gens mal intentionnés se dirigent. Il reproche d'ailleurs au propriétaire son laxisme à l'égard des antécédents criminels de l'employé. Encore une fois, je m'assure de ne pas manquer un seul mot.

Quant à la représentante de la maison-mère de l'organisation syndicale, elle avoue qu'un malaise a régné en apprenant la nomination de l'homme à titre de délégué, mais que son bureau doit tout de même entériner l'élection. Assurément, il faudra également que je mentionne cette zone grise.

Silence radio total, cependant, du côté du gouvernement...

De ceux-là mêmes qui présentent ce débat comme un enjeu crucial que, selon eux, l'adversaire politique refuse d'admettre. Un mutisme qui, de la part d'élus, laisse songeur.

Histoire de ne pas perdre la face, on se contentera de mandater un attaché de presse qui nous fera parvenir un communiqué laconique, précisant qu'avec la nouvelle loi souhaitée, une telle situation ne risque pas se reproduire. Au final, les élus clamant haut et fort l'adoption de cette loi se seront moins exprimés que l'employé qui cherche à s'en défendre.

Langue de bois : état découlant a priori d'une histoire très salée, mais qui laisse aux journalistes un goût plutôt amer.

— Louise-Marie Lacombe

En plein cœur

— Du bon travail, Annie, vraiment !

C'est en affichant un visage digne des plus grands joueurs de poker que je remercie poliment ma collègue de cette aimable remarque. Puis, je replonge rapidement le nez dans mes dossiers, comme pour montrer que je dois m'attarder à des choses bien plus importantes. La jeune femme tourne les talons en simulant elle aussi un mouvement d'insouciance. J'espère seulement avoir été plus convaincante qu'elle quant au fait de cacher mes émotions. Ainsi je n'ai pas eu à lui montrer mon malaise, ni elle, à avouer qu'elle comprend cette faiblesse que l'on ressent tous à un moment ou l'autre. Fierté de journaliste mal placée de part et d'autre !

La vérité, c'est que tous les reproches que je reçois de la part du public me rentrent dedans comme une dague dans le cœur. Pourquoi ? Parce que j'ai fait tout en mon pouvoir pour présenter ce reportage de manière équitable. Et parce qu'au fond de moi, je comprenais que les questions soulevées pouvaient avoir des conséquences néfastes pour un homme qui manifeste le désir de refaire sa vie de façon honnête.

Ceux qui prennent position en ce moment ont le droit de le faire. Mais certaines personnes devraient se rappeler que c'est en grande partie grâce au travail des journalistes, dont le rôle consiste précisément à susciter des débats d'importance, qu'ils exercent ce même droit. Je crois fermement que, dans une société démocratique et moderne, débattre des vrais enjeux n'a rien d'un luxe et tout d'une responsabilité sociale. On me blâme d'avoir rendu publique la vie d'un homme qui jadis, et de façon très consciente, a fait beaucoup de mal à autrui. Moi je rétorque que si je ne cherche aucunement à lui faire de mal sur une base personnelle, j'effectue tout de même un travail d'ordre public.

Tiens, voilà un autre courriel :

Je vous remercie d'avoir jeté la lumière sur l'histoire de cet ex-motard. Je devrai bientôt placer ma mère dans une résidence et je me ferai un devoir de m'informer sur leurs politiques de vérification des antécédents criminels.

Un léger baume au cœur, mais que mon alarme de courriel entrant a tôt fait d'assombrir par l'arrivée d'un autre message :

Non mais, t'es ben bitch...

En bon français, j'appuie sur *delete* sans même lire le reste du message. Car si parfois je prends le temps de répondre sérieusement à certaines personnes ayant exprimé poliment et intelligemment leurs objections, je ne m'abaisserai jamais à le perdre auprès d'internautes impolis ou menaçants. Et si je ne parle ici que d'internautes, c'est pour une raison bien simple ; je n'ai pas reçu un seul appel téléphonique à ce sujet. Qui plus est, une bonne partie de ceux qui se sont amusés à m'insulter l'ont fait de façon anonyme. Comme il est devenu facile dans notre monde moderne de tout se permettre derrière un écran sans laisser de trace. Je trouve ces gens d'une lâcheté sans bornes. Au moins les journalistes, eux, signent leurs œuvres.

Maintenant que j'y repense, oui, il y a eu un coup de téléphone. Et c'est le seul commentaire qui a vraiment eu de l'importance. Il s'agit de celui que j'ai moi-même passé au principal intéressé, quelques jours avant d'en diffuser des extraits sonores. L'homme au bout du fil me faisait des confidences humainement difficiles à entendre, dont la teneur se résume grosso modo à ceci :

— Aujourd'hui, je lave des toilettes... pis si je perds ça, comment veux-tu que je gagne ma vie ?

Averti du fait que j'enregistrais la conversation, il a pourtant fait preuve de courage en acceptant de répondre à toutes mes questions. Et moi, je lui ai donné la chance de pouvoir amener son point de vue, de manifester ses craintes et d'exprimer tout ce qu'il avait à dire. Il y a bien quelques phrases que je n'ai pas mises en ondes, dont une qui m'a fait réfléchir :

> — Je ne veux plus que mes petits enfants se fassent battre dans la cour d'école à cause des choix passés de leur grand-père.

J'ai en effet pensé que le simple fait de mentionner cette possibilité augmenterait les risques de railleries ou d'intimidation auprès de ces enfants. Je me suis donc abstenue de la diffuser.

Mais les autres phrases, inconnues du public et des plus surprenantes, résumaient ses projets futurs de démarrer un jour sa propre cabane à sucre et à laquelle il m'invitait. Eh oui, une invitation ! Car cet appel s'est déroulé dans un climat de calme et sans que mon interlocuteur n'élève jamais la voix ni ne profère d'insultes à mon égard. Et tout cela pour une raison bien simple : il avait compris que je ne faisais que mon travail, et il le respectait malgré toutes les embûches que cela allait lui causer.

Une leçon dont devraient franchement s'inspirer plusieurs internautes…

Une insulte impunie est mère de beaucoup d'autres.

— Thomas Jefferson

Dexter, huitième saison

C'est le choc. Le dernier épisode de cette huitième saison de Dexter vient de me laisser bouche bée. Le meurtrier-justicier a finalement dérogé de son code en voulant tuer une innocente policière qui l'avait démasqué. Et la pauvre femme trouve finalement la mort aux mains mêmes de Deb, la sœur de Dexter, qui vient ainsi de signer son tout premier meurtre dans le seul but de couvrir son frère.

Ce héros de télé, que l'on se surprend à vouloir qu'il soit réel, vient ainsi de traverser la clôture de l'inacceptable. Et nous, fans finis de l'Idéal de justice, on se retrouve le bec à l'eau, déçus, désillusionnés. Je suis certaine que les auteurs de l'émission doivent en ce moment même recevoir des tas de lettres de bêtises. À vrai dire, j'ai presque le goût d'en écrire une moi-même !

Pourtant, je devrais savoir mieux que personne qu'il ne s'agit que d'une fiction, que cet être n'est pas réel, que cette fausse justice est mauvaise… que… que… que… eh bien, que finalement, on se laisse parfois trop emporter par des illusions pour s'échapper un peu de la triste nature des choses. Et que, si nous, les admirateurs de Dexter, venons de recevoir une gifle en plein visage, nous savions pourtant fort bien que cela devait se produire un jour. Mais quelque part, on souhaitait simplement qu'il ne se fasse jamais prendre. On flottait à l'idée que, pour une fois, la mission de pallier les failles d'un système déficient serait laissée aux mains d'un héros qui se détournerait le Mal au profit du Bien. En un mot, nous aussi avons souhaité recourir au mal et à la violence sous prétexte que parfois ils s'avéraient nécessaires. La belle excuse !

Les auteurs de cette fiction auront ainsi réussi le tour de force de nous faire baver d'une rage exquise, pour ensuite nous asséner un dur retour à une réalité. À la nôtre, en fait.

Chapeau, les auteurs ! Bien joué ! Finalement, votre boulot aura ressemblé en tout point à celui de bons journalistes : se faire parfois détester quand on met la vérité au grand jour.

— Non! Non! Non! C'est pas vrai! Regardez, il le prend par
la main et il part avec...

Mon cœur se déchire en lançant cette phrase au reste de l'équipe.
Je deviens témoin d'une scène d'enlèvement d'enfant en temps réel.
La petite victime, un garçonnet d'à peine six ans, vient d'être attirée
par un homme dans la quarantaine. Accompagnée du réalisateur et
du caméraman, nous avons tout capté sur le vif, bien cachés au fond
d'une camionnette banalisée et aux vitres teintées. Nous avions tout
vu : la mère lui permettant d'aller jouer dans un parc situé tout juste
devant la maison et l'individu louche qui en avait profité pour s'approcher sournoisement du bambin. Nos bandes sonores ont même
enregistré les fausses promesses ayant fait briller d'envie les yeux
du petit.

— Hey salut! Il est drôlement beau ton chien dis donc. Je cherche
des enfants comme toi qui ont des animaux. C'est pour une
émission de télévision. Tu crois que ça pourrait t'intéresser?

Et les voilà qui s'éloignent...

— C'est le moment. On y va, lance le réalisateur.

Rassurez-vous! Il ne s'agissait en fait que d'une mise en scène pour
laquelle les parents des enfants avaient pleinement consenti. Mais
finalement, sur ces six enfants choisis pour avoir justement été
maintes fois mis en garde contre les pédophiles, aucun n'aura su
résister à la tentation de suivre notre complice.

Mais pourquoi suis-je alors si ébranlée, sachant qu'il ne s'agissait
nullement d'un véritable enlèvement? À cause d'un geste d'innocence auquel je ne m'attendais guère malgré cette scénarisation
montée de toutes pièces. Ce n'est pas le faux prédateur qui avait

agrippé la main de sa jeune victime pour l'entraîner brutalement quelque part. C'était l'enfant qui, en toute confiance, lui avait candidement tendu la sienne en levant les yeux vers lui et en lui souriant…

Hommage à une inconnue

Lors de ce tournage, et pour une deuxième fois dans ma carrière, une voisine très alerte a posé un geste digne de mention. En apercevant l'individu s'approcher de l'un des enfants, elle a appelé les policiers qui, moins de cinq minutes plus tard, se présentaient sur place dans l'intention d'intercepter notre complice.

J'avais mentionné cette rare intervention dans le reportage. Mais je n'ai jamais pu lui dire de vive voix les simples mots qui m'étaient alors venus à l'esprit. Alors j'en profite aujourd'hui pour le lui dire :

Madame, j'ignore toujours votre identité, mais qui que vous soyez, au nom des enfants, MERCI !

La dernière saison de Dexter

Les projecteurs viennent de s'éteindre définitivement sur la dernière scène de *Dexter*. En fin de compte, son identité cachée de meurtrier lui aura tout coûté : la vie de sa propre sœur et sa séparation définitive d'avec son fils. Dexter n'a d'autre choix que de se faire passer pour mort et aller se refaire une vie incognito. Tandis que l'auditoire se bornait à espérer une fin heureuse, les scénaristes en auront décidé tout autrement pour ce personnage. C'était à prévoir, car en télévision, rien ne se termine jamais de la façon dont on le souhaiterait.

Dans ce cas, pourquoi, aujourd'hui, la fin du principal chapitre de ma propre vie professionnelle me surprend-elle autant ? J'en connaissais pourtant très bien les risques. Je savais que cela devait arriver un jour. C'était écrit dans le ciel. Et durant ces derniers mois où cette fragilité m'avait envahie, une partie de moi l'avait presque même espéré. Pourtant, malgré ce sentiment paradoxal de quasi-délivrance, je prends l'annonce comme un camouflet. Peut-être aussi parce dans ce métier, quand survient ce moment fatidique, on vous fait clairement sentir que l'individu qui avait pourtant mis toute son âme et son cœur à la tâche, vaut bien peu comparativement aux nouvelles orientations d'une entreprise.

S'il faut indéniablement un brin d'orgueil pour réussir en télévision, c'est sans doute un peu de cette même fierté qui tente de nous y retenir. Les milliers de paroles, de sourires et de clins d'œil partagés avec notre public finissent par nous y attacher. On en arrive à croire que cette symbiose nous est absolument indispensable, telle une drogue dont on ne pourrait plus se passer. Pas étonnant que la coupure se vive comme un long et pénible sevrage où les crises et les larmes font partie intégrante de ce tableau trop sombre.

Pour moi, le rideau vient de tomber. Pour la première fois de ma vie, je l'avoue, j'ai peur. Je vacille.

Alors, pardonnez-moi si, pour un temps, je décide de m'éclipser pour réfléchir.

Le temps s'appelle Arsène

Pantoufle n'arrive plus à monter les escaliers qu'avec difficulté, elle qui auparavant les grimpait avec l'agilité d'un lynx. Il lui arrive aussi parfois de rester immobile pendant un long moment en fixant son bol et ne semblant plus comprendre où elle se trouve. La surdité l'empêche de reconnaître ma voix autrefois familière et sa démarche présente des signes évidents d'inconfort. La vétérinaire a été claire : ses reins fonctionnent mal et les toxines envahissent son organisme. Il ne reste plus qu'à adoucir sa fin de course en lui accordant tous les privilèges et gâteries possibles. Et un jour prochain viendra où il faudra prendre pour elle une décision sans appel.

Le moment de pause que je viens de m'accorder m'a permis de faire un bilan. Le choc survient quand, en prenant conscience des misères de ma poilue compagne, je réalise que j'étais au début de la trentaine lorsque notre aventure commune a pris naissance. Depuis, cette brave bête m'a accompagnée dans tous mes déplacements et à toutes les étapes importantes de ma vie. Puis voilà que nous nous rapprochons des derniers adieux, elle et moi.

Je me souviens que certains vieux utilisaient autrefois une expression qui me faisait sourire : *le temps a filé comme un voleur.* Comme c'est juste ! D'abord parce qu'il passe effectivement trop vite. Ensuite parce que, inévitablement, il se plaît à nous dérober certaines choses au passage.

Mais je refuse catégoriquement de voir le temps comme un ennemi. Non ! Trop facile de tomber dans ce piège où s'engouffre pourtant presque l'humanité tout entière. Car s'il y a une chose que la carrière de journaliste m'aura bien ancrée dans le cœur, c'est de reconnaître l'autre côté de la médaille et de briser les mythes les plus persistants.

En vérité, le temps s'appelle Arsène, et son masque est celui du célèbre gentleman cambrioleur que l'on peut décider soit de détester profondément, soit d'adorer sans trop comprendre pourquoi. Les audacieux qui choisiront la deuxième option verront alors s'ouvrir une porte sur d'infinies possibilités, toutes plus illogiques et magiques les unes que les autres. Des choix aussi loufoques et insensés que celui de dire oui à l'amour.

Décider de valser avec le temps plutôt que de lui courir après, ça signifie recueillir ce qu'il aura laissé en échange de son larcin. Car, tout comme ce vieux Lupin, il le fait toujours ! Pourquoi ? Oh, sans doute un vieux pacte signé avec le diable auquel il ne peut se soustraire. Mais comment découvrir ce que l'étrange voleur a bien pu laisser, si notre seul réflexe est de se lancer à sa poursuite ?

Et voilà que moi, j'ai justement une envie folle d'arrêter de courir pour plutôt me mettre à danser.

Musique !

Cette fois-ci, je choisirai une piste de danse un peu insolite : celle où le plancher ondulera littéralement sous mes pieds. Eh oui, un premier magnifique illogisme digne d'une frasque d'*Alice au pays des merveilles*. Un terrain inconnu et imprévisible, me forçant non plus à rester dans un cadre fixe, mais à improviser les mouvements à ma manière. Bouger sur les mouvements d'une chorégraphie libre et délirante qui me permettrait non seulement de conserver la grâce et l'équilibre, mais surtout de M'AMUSER à la créer.

Voilà pourquoi j'annonce officiellement la fin de ma carrière de journaliste d'enquête, parce que je refuse de m'éteindre, et surtout pour enfin permettre au public de découvrir la véritable Annie.

J'ai fait un bien long détour depuis ce premier jour où j'ai eu la frousse en débarquant un peu malgré moi dans une salle des nouvelles. Apprivoiser ce virage m'aura permis de vivre une carrière exceptionnelle. Ma tête déborde de souvenirs où se sont conjuguées actions et rencontres. Je revois le visage des collègues qui ont croisé ma route. Il me plaît de croire que certains d'entre eux ont fait du Québec une société meilleure. Quant à moi, je repars confiante, mais surtout fière en pensant aux changements que ma modeste contribution aura pu apporter.

Comme tout le monde, j'ai trop souvent couru après Arsène en le maudissant plutôt que d'en faire mon partenaire de danse. En mettant sciemment fin à cette course effrénée, voilà que je me retourne enfin pour aller ramasser le cadeau secret déposé en échange. Le voici...

Je l'aurais parié! Une feuille blanche! Le signe que j'attendais pour aller récupérer les quelques rêves et fantaisies que j'avais laissés à la porte de cette toute première salle des nouvelles. Il ne me reste plus maintenant qu'à les inscrire en tête de liste des projets que contiendra cette nouvelle page de vie à écrire. Vous me reverrez très bientôt, je vous en fais promesse. Mais simplement autrement…

Il n'y a que l'expérience qui puisse mener au véritable changement.

— Annie Gagnon, 2014

Et pour le reste…

Pantoufle dort d'un sommeil un peu spasmodique, sans entendre la *crisette* d'une petite fille de sept ans qui tape vigoureusement du pied dans la cuisine. À croire que parfois, la surdité puisse comporter certains avantages…

— Mais c'est pas juste, maman !

— Oh ! Élizabeth, pour l'amour du ciel, arrête de danser !

Un rappel que les choses essentielles, elles, ne changeront jamais.

— 30 —

Achevé d'imprimer en avril 2014 sur les presses de Marquis,
Québec, Canada